CW00551816

THE ASSOCIATION FOR SCOTTISH LITERARY STUDIES
NUMBER FORTY-SIX

A KIST O SKINKLAN THINGS

*

THE ASSOCIATION FOR SCOTTISH LITERARY STUDIES

The Association for Scottish Literary Studies aims to promote the study, teaching and writing of Scottish literature, and to further the study of the languages of Scotland.

To these ends, the ASLS publishes works of Scottish literature (of which this volume is an example); literary criticism and in-depth reviews of Scottish books in *Scottish Literary Review*; and scholarly studies of language in *Scottish Language*. It also publishes *New Writing Scotland*, an annual anthology of new poetry, drama and short fiction, in Scots, English and Gaelic. ASLS has also prepared a range of teaching materials covering Scottish language and literature for use in schools.

All the above publications are available as a single 'package', in return for an annual subscription. Enquiries should be sent to:

ASLS, Scottish Literature, 7 University Gardens, University of Glasgow, Glasgow G12 8QH. Telephone/fax +44 (0)141 330 5309 or visit our website at **www.asls.org.uk**

THE ASSOCIATION FOR SCOTTISH LITERARY STUDIES

A KIST O SKINKLAN THINGS

An anthology of Scots poetry from the first and second waves of the Scottish Renaissance

Compiled and annotated by
J. Derrick McClure

GLASGOW

2017

*

Published in Great Britain, 2017
by The Association for Scottish Literary Studies
Scottish Literature
University of Glasgow
7 University Gardens
Glasgow G12 8QH

ASLS is a registered charity no. SC006535

www.asls.org.uk

ISBN: 978-1-906841-29-4

Cover design: Mark Blackadder

A catalogue record for this book
is available from the British Library.

Typeset by AFS Image Setters Ltd, Glasgow
Printed and bound by Bell & Bain Ltd, Glasgow

Thesaurus Paleo-Scoticus.

I mind when I was a bairnie hou ma mither
brocht out ae day a kist o skinklan things,
ferlies I thocht them, ilk mair rare nor anither,
aa kind o gowdies, stanes and chains and rings,
braw orleges that made her guidsire vauntie,
auld fallals that belanged her grannie's auntie.
I thocht ma forebears maun be queens and kings,
sic sma delytes can mak a bairnie canty.
I'm canty yet wi sma delytes, albeid
ma baird's sae black and swack. I ken a thing
that's like a kist o ferlies gif ye read.
Frae Jamieson's muckle buik the words tak wing,
auld douce or ramstam, lown or virrfu words,
for musardry o thocht or grame o dirds,
our forebears useit, to flyte or scryve or sing.
I'd wuss to be a falkner o sic birds.

Douglas Young

Contents

Introduction

The Scottish Renaissance of the early twentieth century is a fact of literary history. Extensive and stimulating as discussions have been, there is still endless scope for examination of its root causes, its relationship to social and political developments in Scotland and to literary movements in the outside world, the intricate and ever-ramifying network of mutual influencing and interaction among the key figures of the movement, and other aspects of the phenomenon; but the fact that it happened – that the Scottish literary world quite suddenly and dramatically became more productive, more dynamic, more wide-ranging in the scope of its subjects, more actively engaged with contemporary social and political issues, and (as a key factor) more avowedly national and nationalistic – is non-controversial. And a central aspect of this development is the according of a radically new literary status to the Scots language.

The Vernacular Revival (like "Scottish Renaissance", a question-begging and over-simplifying expression, but like it one with a sufficient degree of accuracy and appropriateness to justify its continued use) of the eighteenth century had, deliberately, restored Scots to literary prominence. Fuelled by James Watson's *Choice Collection* and Thomas Ruddiman's edition of Douglas's *Eneados*, set in tentative motion by William Hamilton of Gilbertfield, sped decisively on its way by Allan Ramsay, given further momentum by John Skinner, Alexander Ross, Robert Fergusson and others, and reaching its apotheosis with Robert Burns, the movement had the unchallengeable result of re-establishing Scots as the language of a poetic tradition at once enormously popular and, in some of its products at least, worthy of being regarded as a continuation of the great national literature of the Stewart period. By the eighteenth century, however, the status of the Scots tongue had altered fundamentally from what it had been in the fifteenth and sixteenth: English was now the socially and culturally dominant language; and recognition of its dominance steadily hardened as the century advanced into a growing conviction that Scots was moribund and only fit for rustics and clowns. Scots was to be rigorously excluded from the social and professional contexts in which a "high register" of seriousness and formal language use was assumed, and equally from social contexts of "polite" society, where propriety and proper behaviour were to be maintained or aspired to. Increasingly, therefore, a writer's decision to use Scots became *ipso facto* a defiance of conventional expectations and a politically loaded gesture, if not of nationalism in the modern sense (that is, a desire for the restoration of Scotland's political sovereignty) then certainly cultural patriotism, and a determination not only to maintain but to proclaim the traditional and enduring distinctiveness of Scotland and its literary achievements.

Within its limits, this movement was wholly successful. The collective work of the eighteenth-century poets restored to Scots the unchallengeable status of a great literary language; and the firmly asserted "Scottishness" of this corpus was, and remains, the foundation for an entirely just national pride. Unfortunately, the literary and cultural advancement of Scots fell victim to its own success. The influence of Robert Burns is a classic instance of the deleterious effect which a great writer can have on his successors, in setting a standard which, aware that they cannot surpass it, they fail even nearly to match. Burns himself remarked, in a letter written shortly before his death, on the worrying decline in the quality of Scots poetry; and for most of the nineteenth century his forebodings proved sadly true. With occasional exceptions, poets writing in Scots were content to remain narrowly circumscribed and repetitive in subject-matter, nostalgic and sentimental in mood, and unadventurous in language and poetic form. High seriousness or sophisticated irony were less and less in evidence. Only rarely did any individual poet attempt to escape from Burns's shadow, or even within it to emulate the passion, the social radicalism or the boldness of thought and expression which characterise his work.

Despite the relative failure of Scots poetry to maintain its established standards for much of the nineteenth century, the period saw some landmark achievements in the use of Scots for dialogue in prose fiction: the language as a literary medium, that is, by no means remained static. Sir Walter Scott was not the first novelist to make his Scottish characters speak what would in reality be their mother tongue (that distinction would be more realistically claimed by Tobias Smollett); but his still-unmatched use of the language in dialogue, drawing not only on the phonaesthetically expressive vocabulary in which Scots abounds but on the enormous store of proverbs, folk-sayings and quotable lines from folksongs and ballads familiar in his time to Scots of all classes, and distinguishing each character's idiolect by regional shibboleths and terms appropriate to specific callings or professions, added a new dimension to the literary development of the language, and proved the fountainhead of a tradition which is still flourishing. James Hogg, John Galt, George MacDonald and Robert Louis Stevenson were among the greatest of the many fiction writers who followed Scott's lead in exploiting the Scots tongue for the presentation of memorable characters and their lively interactions. It is worthy of remark that several novels dismissively categorised as "kailyard" writing show a high degree of authorial skill in the use of the Scots tongue (J. M. Barrie's *A Window in Thrums* is a good example): what the characters *say* in it may have little value or interest, but the language itself may be as rich in distinctive vocabulary and idiom as could be desired.

The field of Scots poetry began to recover in the later nineteenth century. J. Logie Robertson and Robert Louis Stevenson, responding to the widely recognised decline in the social status, literary productivity and actual conversational usage of Scots, deliberately produced a corpus of poems in the language, Stevenson (it goes without saying) with by far the greater degree of linguistic inventiveness and expressive skill. In a frequently quoted passage, Stevenson disclaimed any attempt at dialectal consistency: "I simply wrote my Scots as well as I was able, not caring if it hailed from Lauderdale or Angus, from the Mearns or Galloway"; suggesting that as Scots would shortly be extinct in any case such consistency was unnecessary. In a contrasting development which began shortly after, Charles Murray and Mary Symon initiated the practice of using the North-East dialect, its distinctive lexical and phonological shibboleths strongly emphasised, in poetry for and about their local community. "Re-established" would strictly be a more accurate word than "initiated", for writers in the North-East dialect had made an extensive and distinguished contribution to the

Vernacular Revival; but for most of the nineteenth century Scots poetry from the North-East had been linguistically indistinguishable from that produced in other parts of Scotland. Since then, two mutually distinct strands have been visible in the development of Scots as a poetic language: a poet may choose to write in the dialect of a specific region, or else in a pan-Scots using vocabulary from any and every region and spellings suggesting the most general and widely used pronunciations.

Eclecticism in regional vocabulary was soon augmented by a new practice, that of drawing on literature of the past for vocabulary and orthographic practice. Verbal echoes, deliberate or accidental, of Robert Burns and other poets of the eighteenth century had been a common practice in poetry since their own time; but poets in the twentieth century, the first important one being Lewis Spence, began drawing on poetry of the Stewart period as a source for themes and poetic forms as well as vocabulary. This too was not without precedent: Allan Ramsay, and later James Hogg, are among the poets of the eighteenth and nineteenth centuries who had experimented with pastiche-archaic Scots; but it now became an established part of the stock-in-trade of cutting-edge poets.

Hugh MacDiarmid is the central figure in the great recovery of Scots poetry which began in the 1920s, but like Allan Ramsay, his counterpart in the earlier revival movement, he rode a rising tide. As had been the case in the aftermath of the Darien disaster and the loss of political independence, an integral part of the grass-roots movement towards national regeneration after the First World War was a renewed awareness of Scotland's past cultural and intellectual achievements and a sense of the responsibility borne by the contemporary community to ensure that the standards set in those periods were restored and maintained. The experiments in the field of Scots poetry by MacDiarmid's immediate predecessors were the first concrete results of this development. Also of seminal importance is the growth of interest in the Scots language as a field of study, and the placing of the subject on a systematic and academically respectable basis. James Murray's landmark work *The Dialect of the Southern Counties of Scotland* initiated a whole new era in European linguistic thought; and though it was in France and Germany, rather than Scotland, that Murray's immediate influence was visible, the less scientific books on Scots by James Wilson, the abundant and steadily increasing number of regional word lists, and above all the founding of the Scottish Dialect Committee and the launching of the research project eventually to culminate in the appearance of the *Dictionary of the Older Scottish Tongue* and the *Scottish National Dictionary*, collectively provided a background of knowledge in the Scots field accessible to creative writers as well as scholarly researchers. Nonetheless, MacDiarmid's personal influence on the movement is fundamental: not only through the stimulus provided by his poetry itself, which from the outset exhibited a boldness of thought and expression not seen in Scots poetry since the death of Burns, but also because of the vigour, persistence and sheer rhetorical skill with which he proclaimed (rather than *argued*) the urgency and the realistic prospect of a revival in Scotland's national self-awareness and national pride, of which a rejuvenated literature couched in the Scots tongue would be both a symbol and an integral part.

The present anthology illustrates the achievement of what is referred to as the first and second waves of the Scots Renaissance: that is, the work of MacDiarmid's immediate predecessors and the man himself, and subsequently that of the extraordinary company of poets who wrote under his direct inspiration. On any showing, the scale and quality of this movement is a phenomenon rarely paralleled in literary history. Several poets of European stature, and a host of lesser but far from insignificant talents, exploited the Scots tongue, each in his (or, much more rarely, her) own individual manner, for poetry adventurous in style and challenging in subject-matter. Scotland joined enthusiastically in the modernist movement of literature: the international field of poetry was rife with controversies, sometimes personal; and those were played out in distinctive form on the Scottish scene. Contemporary social and political issues were boldly examined, in stark contrast to the rustic nostalgia of much nineteenth-century poetry: the culturally and economically impoverished state of Scotland, and the recovery of political independence as a *sine qua non* for rectifying it, formed a steady background theme, and developments on the national and international scene drew fittingly vigorous poetic responses. The oncome of the Second World War, and then the War itself and its effects on the Scottish community, prompted much of the finest Scottish poetry of the period. And the cumulative effect of this spate of poetic activity on the Scots language was an immeasurable enrichment of its range and power of expression, and eventually – though this development was glacially slow – a radical change in its educational as well as literary status. These features are collectively exemplified in the poems chosen here.

The criteria which I have applied in selecting the poems for the anthology are as follows. First and for the most obvious reason, translations are not included. The field of poetic translation in Scots is very rich: translation is a long-established and well-recognised method of expanding the range and enhancing the prestige of a developing language, and modern Scots poet-translators have embarked on it with enthusiasm and often outstanding success. Several of the poets included here have produced translations of a quality to match their original work: of one, Sir Alexander Gray, it could be argued that his translations and *not* his original work represent the peak of his achievement. This anthology, however, is not designed to illustrate this aspect of the modern Scots literary corpus; fascinating though it is.

Next, it is a collection of poems in Scots. It goes without saying that twentieth-century Scottish poets have also achieved great things in the other two indigenous languages of the kingdom, English and Gaelic, but those are not to our present purpose. The word "Scots", however, has a wide and somewhat ill-defined range of reference; and the entirety of this range is not represented by the present collection. Specifically, it is a collection of poems in a register without social or regional marking: in a literary "general" Scots as contrasted with, say, T. A. Robertson's use of Shetland dialect. What MacDiarmid made the strategic mistake of calling "Synthetic Scots", a literary register including words taken from any or all regional dialects, from literature of earlier periods and from reference works, comes into this category; so does, more simply and more traditionally, what is essentially a register based on the Ayrshire–Edinburgh axis of the Vernacular Revival, the stock poetic currency of the eighteenth and nineteenth centuries.

For this reason, an enormous amount of dialect poetry, some specimens of which are of a quality to match many of the poems printed here, has been excluded from consideration. In the North-East, the tradition of "Doric" poetry initiated, as previously noted, by Charles Murray and Mary Symon has never shown signs of flagging and still enjoys the enthusiastic support of the local community; the Shetland and to a lesser extent the Orkney dialects are the vehicle for local poetry of outstanding scale and quality; and other parts of Scotland have likewise developed their own dialects for poetic traditions of merit; but as this is specifically an anthology of *literary* Scots poetry, these are not represented here. For the same reason, work in local forms of Scots by poets who also wrote in a non-local register, such as the Edinburgh demotic poems of Robert Garioch, are not included.

Thirdly, it is a historical anthology with a definite chronological limitation. Any cut-off point is bound to be to some extent arbitrary: obviously, poets have different life-spans, respond to influences with different degrees of alacrity and produce their best work at different times of their lives; equally obviously, changing fashions, movements and counter-movements in poetry do not happen at set chronological points, or in accordance with any rules whatever. I have chosen to include no poets born after 1950. My reason is that in the later 1960s a new revolution occurred: the rise of urban verismo poetry in phonetically spelt Glasgow basilect, with Tom Leonard as the mainspring of the movement. This development was specifically intended as a counter to the literary Scots of MacDiarmid and his immediate successors; and though poetry in the register which they favoured, and also poetry in the traditional rural dialects, continued (and still continues) to flourish, poets born in the 1950s or later wrote either within or against this new movement. I have therefore chosen a cut-off point before it became operational.

The paucity of female poets in the anthology will certainly be noticed. It is, however, a simple fact necessitated by my selection criteria. Among the poets who identified themselves with the Scottish Renaissance and wrote meritorious work illustrating its practices and principles, women are far outnumbered by men: a fact which I am neither able to counter nor concerned to explain. The three Angus poets Violet

Jacob, Marion Angus and Helen Cruickshank, almost exact contemporaries, had established reputations before the Renaissance took flight, but during its progress only the last-named specifically associated herself with Grieve and his following and adopted their practices as influences on her own writing: accordingly, she is included whereas the other two are not. For reasons already given, excellent dialect poets such as Rhoda Bulter, Christine De Luca, Lilliane Grant Rich and Flora Garry are also excluded; and others are denied entry by the chronological cut-off point.

An astonishing feature of literary criticism in recent years has been the lack of attention paid to the outstanding developments in the field of Scots poetry achieved by poets writing under the immediate and direct inspiration of MacDiarmid's early work. It is long past time that their reputation among the poetry-reading public was re-established: that it should have been allowed to lapse at all is a national disgrace. This anthology is offered as a step towards restoring them and the movement which they represent to its due place in Scottish literary history.

Pittendrigh MacGillivray

Mercy o' Gode

Twa bodachs, I mind, had a threep ae day,
Aboot man's chief end—
Aboot man's chief end.
Whan the t'ane lookit sweet his wards war sour,
Whan the tither leuch out his words gied a clour,
But whilk got the better I wasna sure—
I wasna sure,
And needna say.

But I mind them well for a queer-like pair—
A gangrel kind,
A gangrel kind:
The heid o' the ane was beld as an egg,
The ither, puir man, had a timmer leg,
An' baith for the bite could dae nocht but beg
Nocht but beg—
Or live on air!

On a table-stane in the auld Kirkyaird,
They ca' 'The Houff',
They ca' 'The Houff',
They sat in their rags like wearyfu' craws,
An fankl't themsel's about a 'FIRST CAUSE',
An' the job the Lord had made o' His laws,
Made o' His laws,
In human regaird.

Twa broken auld men wi' little but jaw—
Faur better awa
Aye—better awa;
Yammerin' owr things that nane can tell,
The yin for a Heaven, the ither for Hell;
Wi' nae mair in tune than a crackit bell—
A crackit bell
Atween the twa.

Dour Baldy he barkit in praise o' the Lord—
'The pooer o' Gode
An the wull o' Gode';
But Stumpie believ't nor in Gode nor man—
Thocht life but a fecht without ony plan,
An' the best nae mair nor a flash i' the pan—
A flash i' the pan
In darkness smored.

Twa dune men—naither bite nor bed!—
A sair like thing—
An unco thing.
To the Houff they cam to lay their heid
An' seek a nicht's rest wi' the sleepin' deid,
Whar the stanes wudna grudge nor ony tak' heed
Nor ony tak' heed:
But it's ill to redd.

They may hae been bitter, an' dour, an' warsh,
But wha could blame—
Aye—wha could blame?
I kent bi their look they war no' that bad
But jist ill dune bi an' driven half mad:
Whar there's nae touch o' kindness this life's owr sad
This life's owr sad
An' faur owr harsh.

But as nicht drave on I had needs tak' the road,
Fell glad o' ma dog—
The love o' a dog:
An' tho' nane wad hae me that day at the fair,
I raither't the hill for a houff than in there,
'Neth a table-stane, on a deid man's lair—
A deid man's lair—
Mercy o' Gode.

Lewis Spence

The Wee May o' Caledon
(Regina Scotorum)

Fower oufant wivies stude,
    Ane at ilka poster,
As the wee May o' Caledon
    Said her Pater Noster.

'What wull ye spae her?'
    Quo' the North to the Sooth,
'A hairt that wull bewray her,
    And hinny in her mooth.'

'And what wull ye gie?'
    Asks the Sooth o' the North,
'Mirrie maiks three,
    And nane o' ony worth.'

'Bluid to her supper'
    Quo' the carline of the West,
'And a gray grue to grup her
    At thochts o' bypast.'

'Lat me,' quo' the feird,
    'Steel for her passing,
And far Inglis eird
    For the place o' her grassing'

Fower oufant wivies stude,
    Ane at ilka poster,
As the wee May o' Caledon
    Said her Pater Noster.

The Unicorn

On the Scots blasoun ramps the Unicorn,
    Chainyeit is he for that so wild and wud
Men knaw him that hes horrour of his horn,
    Yit kynd is he to thame of Scottis blude.
Of auld our rivers did him rathely breed,
    Now doth he sort with kelpies and with geists,
Yit is he aye the symbol of our seed—
    Suthely is the Unicorn the roy of all beasts!

Herauld nor pursuivant nor trumpettour
    Luiks upon him withouten meikle awe;
To Scotland's faes he is of grit dolour
    Whan he amang the baneirs raiks on raw.
His milky hide proclaims his purite,
    On honour and on glore his huifis reists,
Of knights and campiouns approved is he—
    Suthely is the Unicorn the roy of all beasts!

Men tell that in the desarts Pers and Ynd
    He hants the gowden raxters of the sand,
Yit in our regioun is he ill to find,
    As thouch he did no luve this farrach land.
But this is fauset; whan the mune she blaws
    Out of the siles of shaddaw and she keists
Her leaves on mirkness, than he staiks the shaws—
    Suthely is the Unicorn the roy of all beasts!

Nor sall the Unicorn, our symbol, dee,
    On ylka hert that is auld Scotland's maik
Stampit as on a gowden piece is he,
    And men sall luve him for his honour's saik.
O Caledonia, lowss thy hornit horss
    Whylk thy defens bears on his siller creists,
That endit be this nacioun's remorse—
    Suthely is the Unicorn the roy of all beasts!

The Lost Lyon

King Elshinner a ship he biggit,
Wi' a heave-a-lowe, ye ho!
Cut frae the guid pine-wood and riggit
Wi' hemp frae the Lowlands low,
Whare the lyart lint doth grow, ye ho!
And the lilt o' the loom is slow.

O wae the axe that cut yon wood,
The loom that spun yon strand,
For King Elshinner's galley guid
Sall never win to land!

The tempests gray o' Norroway,
Yon etins fell and dour,
Hae blawn her hempen strands to strae,
And dung her decks to stour.

Her seamen's banes are Baltic's stanes,
Their e'en are sirens' play,
But her royal lyon prow remains—
To it the mermaids pray.

O see anither ship be biggit,
Wi' a heave-a-lowe, ye ho!
Cut frae the guid pine-wood and riggit
Wi' hemp frae the Lowlands low.

For whatna winds may blow, ye ho!
And whatna death ye dee,
The Lyon owre the faem maun go,
And Scotland keep the sea!

Mistral

The lyre o Languedoc,
Word o a fainfu' folk,
Yon sang o the auld jongleurs, whase cleir lilt
Had aa the warld o Soudron luve intilt,
Fell dumb but for a lyart wheen that made
Their hirplin thyme-ware in its hooly shade.
And syne ane kempy-carle raise up and seid:
'That sall alive that in this airt was deid,'
And strack the chords, and wi sic marvel mein
Aa Europe coost that gait its glamoured een.
Yon tongue that men thocht fremit and forsworn
Was, through the makar's virr, restored, reborn,
To the auld clarsach o a sangsters' land.
O sleipand Scotland, wad ye understand
Hoo native leid is wrocht to meikle poo'er,
Luik on his wark! Great Mistral fand a floo'er
Was like a lilly frae a bygane spring
Upcome to mak a withert gairden ying.

Sir Alexander Gray

Babylon in Retrospect

I micht dae waur than bide here a' my days,
Whaur a' thing's aye, year in year oot, the same;
Amang kent fowk, trailin' upon kent braes,
I micht dae waur than settle doon at hame.

To live content wi' little, kennin' weel
That this warld's gear is coft wi' muckle care;
To hae a change o' claes, a puckle meal,
And peace o' mind,—what needs a body mair?

To howk the grund whaur ance my forbears swat,
To see the kirk-yaird whaur some day I'll rest;
Wha kens but mebbe some sic wey as that
Wad gar me trow that a' thing's for the best?

It scunners me to think I'll hae to face
Ance mair the senseless trokes I've left ahent;
For in that clorty, smeeky, godless place
There's naething that can gie a man content.

Wae's me to think on't, but your weary feet
May wander up and doon a hail year through;
And never in the towmond will you meet
A chield that's sib to ane that's sib to you.

Persuasion

HASTE ye to the window, Jean,
For a lanely man am I.
Let me see your bonny een
Keekin' oot as I gae by.
No ilka chield wad come sae far
To hear your Mither's host's nae waur.

'Tammas, I've a heap to dae;
Bread to bake and claes to mend.
Gin I hark to a' you say,
Gude kens whan the wark 'ill end;
But since you're there, I micht as weel
Be ceevil to a neebour chiel'.'

Jeannie, lass, come doon the stair;
I canna crack unless you're near.
There's lots a body disna care
To tell a lass, when fowk may hear.
I wat you mak an unco phraise
O' bakin' bread and mendin' claes.

'Tammas, you've nae mense ava;
You're but an orra wanderin' loon.
You think that when you gie a ca',
I'll leave my wark and hurry doon.
I ken you've nocht to say to me;
But, still an' on, I'll come and see.'

Jeannie, let's gae up the hill;
We'll see the mune rise by and by.
It's fine at nicht, when a' thing's still,
To hear the corn-crakes in the rye.
Lassie, think o' a' you miss,
Indoors in sic a nicht as this.

'Tammas, wha can eat brent bread?
You ken yoursel' it's far frae richt;
But Losh be here, it is indeed
A maist byordinar bonny nicht.
Forbye, it's no that michty late;
You're no far wrang; the wark can wait.'

December Gloaming

In the cauld dreich days when it's nicht on the back
o' four,
I try to stick to my wark as lang as may be;
But though I gang close by to the window and glower,
I canna see.

But I'm sweir, rale sweir, to be lichtin' the lamp that
early,
And aye I wait while there's ony licht i' the sky;
Sae I sit by the fire and see there mony a ferly,
Till it's mirk oot-by.

But it's no for lang that I sit there, daein' naething;
For it's no like me to be wastin' my time i' the
dark;
Though your life be toom, you can aye thank God for
ae thing,—
There's aye your wark.

But it wadna be wark I wad think o', if you were aside
me.
I wad dream by the ingle neuk, wi' never a licht;
The glint o' your een wad be licht eneuch to guide me
The hail forenicht.

I wadna speak, for there's never nae sense in speakin';
By the lowe o' the fire I wad look at your bonny
hair;
To ken you were near wad be a' that my hert wad be
seekin'—
That and nae mair.

The Wanderer

Gin I were a gangrel-body,
Trailin' a' the country-side,
I cud never get my sairin'
Seein' ferlies far and wide.

Muckle hills and lynns and corries,
Grite craigs whaur I downa stand,
Toons whaur silly fowk keep trokin',
Shippies sailin' frae the land;

Bonny, creepy-crawly craiters,
Flowers that blume in ilka ditch;
Spring and hairst, the starns, the sunsheen,
And the müne, the fickle bitch;

Auld-warld biggins, mossy ruins,
Standin' stanes and forts and cairns,—
God has made a heap o' uncos,
A' to plaise his feckless bairns.

Helen Cruickshank

The Ponnage Pool

'. . . Sing
Some simple silly sang
O' willows or o' mimulus
A river's banks alang.'
Hugh MacDiarmid

I mind o' the Ponnage Pule,
The reid brae risin',
Morphie Lade,
An' the saumon that louped the dam,
A tree i' Martin's Den
Wi' names carved on it;
But I ken na wha I am.

Ane o' the names was mine,
An' still I own it.
Naething it kens
O' a' that mak's up me.
Less I ken o' mysel'
Than the saumon wherefore
It rins up Esk frae the sea.

I am the deep o' the pule,
The fish, the fisher,
The river in spate,
The broon o' the far peat-moss,
The shingle bricht wi' the flooer
O' the yallow mim'lus,
The martin fleein' across.

I mind o' the Ponnage Pule
On a shinin' mornin',
The saumon fishers
Nettin' the bonny brutes—
I' the slithery dark o' the boddom
O' Charon's Coble
Ae day I'll faddom my doobts.

A Lang Guidnicht

(Lang eftir Captain Alexander Montgomerie, 1545–1611)

Montgomerie, I rede thy solemn sang
　　Quhen thou thy lang guidnicht fra luve hes tane,
That luve that fain thou wald hae keepit strang
　　Wi thee ay thrang ere thou til erd had gane.
　　Thou pled in vain. Alace, thy noble mane
Wes bot thy bane. Thou wes a seimlie sicht
Ontil that nicht quhen seikness hes thee slain
Deid clamed his awin, and thou did say 'guidnicht.'

Scotland, fra thy deir shoirs thy sons maun gae
　　Quha fain wad stay gif they had bot the land
Quhair skeillie hand wald wark without allay
　　By burn and brae to gar a hamesteid stand
　　Siccar and sound, biggit on rock, nocht sand,
Or by some strand, shuve out the hameald keill
To fill the creill, keep aumrie ay weill fund
Wi bairns ay grand in happiness and heill.

Want ye the will, the wark to gar them bide
　　By thine awin side, and thirl them til their hame?
Is't nocht thy shame, that they stend oceans wide,
　　Oure deserts ride, or fremmit forests tame,
　　Win deid or fame nocht til endow their name
Quhil uthers clame quhat suld be theirs by richt?
Is't nocht an uncouth sicht, thyself to lame,
Thy bodie maim, by bidding them 'guidnicht'?

Press Report.—45,000 Scots emigrated from Scotland in 1967.

Corstorphine Woods

Ravens are kekklin' prophecies o' woe,
Pyots in black an' white spiel superstitions,
The rooks mak' bedlam i' the elms below,
An' saft-winged hoolets plan their midnicht missions.

Amang the haws an' brambles whinchats clink,
The blue-tits flit amang their ferny covers,
The greedy gulls ahint the ploo-tail sink,
An' hidden cushats croodle low like lovers.

Heich i' the frosty air, uneirdly cries
Tell that a gaggle o' wild geese are flightin'—
Luik! there they are against the parchment skies,
Like movin' brush o' ancient Chinese writin'.

Near hame, the ruif-heid raws o' stirlins haud
Their evenin' guild o' scandal and o' chatter,
And sparrows, randy gossips, rogue or jaud,
Scavenge their hindmost crumb wi' fuss an' clatter.

And, as I roond the corner, best of a',
The mavis, singing on my gavel wa'—
Happy am I, altho' I bide my lane,
To ha'e a singin' hert that's a' my ain.

Epistle for Christopher Murray Grieve on his 75th Birthday

Dear Chris, dear Hugh, an dear-hoo-mony a name
Ye've used tae mate yer reengin thocht an word,
Ye've 'kept the pottie boilin' this lang time
When younger makars cudna dree their dird,
Or else lost hert an howp, an owre short-windit,
Pit doon their pens, and 'loot the cattie dee';
But na, ye ne'er gied in, tho fowk ill-mindit
Cried oot upon ye, thocht ye'd tak the gee.

Frae peeny-days thae bairn-lik phrases date,
Frae village playgrund or the Angus toun
Whaur ye begood the game o bein poet
An made a name weel-kent the haill warld roon—
But mebbe no i the Parish o Montrose,
Tho noo, nae doot, they're fidgin-fain tae claim
The young reporter-chiel, that neth the rose
Scrieved gowden lyrics that first brocht him fame.

Years efterhand, I mind in Edinbro
Colloguin owre some poet's toil-an-moilin
Ye said 'It maitters no wha's writin noo
Sae lang's they keep the Scottish pottie boilin';
An years sin-syne, noo ye are seeventy-five
(And I sax years the mair) ye're eident makin
Yer poems spring as fresh, as still ye strive
Tae kep their glisk thro drumlie darkness brakin.

I never ettled, na, yer worth tae weigh
Nor yet tae set me up interpreter,
But frae Esk waterside, I've watched ye swey
This wey an that, whiles wild as Border river
That breaks its bounds in spate, ca's doon a' fences,
Syne neist day comes sweet-purlin thro the braes,
Yet steers a coorse like 'Ballad of Five Senses'
Frae whilk I wale thae lines, sae fu o grace.

> 'Oot o' the way, my senses five,
> I ken a' you can tell,
> Oot o' the way my thochts, for noo
> I maun face God mysel.'

And sae I name ye a *releegious* poet,
The foremaist ane frae John o' Groats tae Wamphray,
Agnostic? atheist? pagan? Deil a bit o't,
Chief pillydacus o' the haill clanjamphrie!
I mind o ane that bore in wind an weather
A sacred load thro cataracts o' thocht.
Na, CHRISTOPHER, yer faither an yer mither
They didna wale that wechty name for nocht.

Sea Buckthorn

Saut an' cruel winds tae shear it,
Nichts o' haar an' rain—
Ye micht think the sallow buckthorn
Ne'er a hairst could hain;
But amang the sea-bleached branches
Ashen-grey as pain,
Thornset orange berries cluster
Flamin', beauty-fain.

Daith an' dule will stab ye surely,
Be ye man or wife,
Mony trauchles an' mischances
In ilk weird are rife;
Bide the storm ye canna hinder,
Mindin' through the strife,
Hoo the luntin' lowe o' beauty
Lichts the grey o' life.

Bessie MacArthur

Bethink Ye What Will Come o't?

The stars are in a stushie an' the planets lookin blae,
For earth has tint her senses an' they kenna what to dae;
She's plutterin wi' sputniks an' wi rockets an' the like,
An' sune ye'll see them fleein by like bees oot o' a byke.

There's rummles here, an' rummles there, an'
queerish oorie lichts,
An' whiles ye'll hear a whinnerin' soun' on lown an'
starry nichts,
An' aince a voice cam loupin through the lang-been-
shutten door—
It spak for Peace, yet brak the peace that aye was
there afore.

Bethink ye what will come o't noo the rockets reik
the mune?
Will earth-fowk preen their fedders an' syne flee aff
abune?
An' will they tak a lang, lang thocht when a' thae
miles awa'
They see the auld earth glintin' like a muckle siller ba'?

Or will the Haly Buik be richt an' man be unco prood,
The stars fa' frae the heavens an' the mune be turned
to bluid,
The sun tine a' its bonnie licht, the earth lie cauld an'
lane,
Until the star-croon'd Son o' God sall come intil His
ain?

Nocht o' Mortal Sicht (1942)

A' day aboot the hoose I work,
My hands are rouch, my banes are sair,
Though it's a ghaist comes doon at daw,
A ghaist at nicht that clims the stair.

For nocht o' mortal sicht I see—
But warrin tanks on ilka hand,
And twistit men that lie sae still
And sma', upon the desert sand.

And nocht I hear the leelang day
But skirl o' shell and growl o' gun,
And ower my heid the bombers roar
Reid-hot aneath the Libyan sun.

But when the licht is on the wane,
And antrin winds gae whinnerin by,
It's snaw comes swirlin round my feet
And drifts in cluds across the sky.

And syne it's straikit owre wi' bluid,
And syne the wind is hairse wi' cries,
And syne abune the Russian snaws
I see the Kremlin towers rise.

While round the city, mile on mile,
The grim battalions tak their stand,
And deid men streik from aff the grund
To grup their comrades by the hand.

And sae it haps that ilka day
Frae mornin' licht to gloamin' fa',
It is a ghaist that walks the hoose
And casts its shadow on the wa'.

Hugh MacDiarmid

The Sauchs in the Reuch Heuch Hauch[1]

There's teuch sauchs growin' i' the Reuch Heuch
  Hauch.
Like the sauls o' the damned are they,
And ilk ane yoked in a whirligig
Is birlin' the lee-lang day.

O we come doon frae oor stormiest moods,
And licht like a bird i' the haun',
But the teuch sauchs there i' the Reuch Heuch Hauch
As the deil's ain hert are thrawn.

The winds 'ud pu' them up by the roots,
Tho' it broke the warl' asunder,
But they rin richt doon thro' the boddom o' Hell,
And nane kens hoo fer under.

There's no' a licht that the Heavens let loose
Can calm them a hanlawhile,
Nor frae their ancient amplefeyst
Sall God's ain sel' them wile.

[1]A field near Hawick.

To the Music of the Pipes

Plant, what are you then? Your leafs
Mind me o' the pipes' lood drone
—And a' your purple tops
Are the pirly-wirly notes
That gang staggerin' owre them as they groan.

Or your leafs are alligators
That ha'e gobbled owre a haill
Company o' Heilant sodgers,
And left naethin' but the toories
O' their Balmoral bonnets to tell the tale.

Or a muckle bellows blawin'
Wi' the sperks a' whizzin' oot;
Or green tides sweeshin'
'Neth heich-skeich stars,
Or centuries fleein' doun a water-chute.

Grinnin' gargoyle by a saint,
Mephistopheles in Heaven,
Skeleton at a tea-meetin',
Missin' link—or creakin'
Hinge atween the deid and livin' . . .

(I kent a Terrier in a sham fecht aince,
Wha louped a dyke and landed on a thistle.
He'd naething on ava aneth his kilt.
Schönberg has nae notation for his whistle.) . . .

The Parrot Cry

Tell me the auld, auld story
O' hoo the Union brocht
Puir Scotland into being
As a country worth a thocht.
England, frae whom a' blessings flow
What could we dae withoot ye?
Then dinna threip it doon oor throats
As gin we e'er could doot ye!
    My feelings lang wi' gratitude
    Ha'e been sae sairly harrowed
    That dod! I think it's time
    The claith was owre the parrot!

Tell me o' Scottish enterprise
And canniness and thrift,
And hoo we're baith less Scots and mair
Than ever under George the Fifth,
And hoo to 'wider interests'
Oor ain we sacrifice
And yet tine naething by it
As aye the parrot cries.
    Syne gi'e's a chance to think it oot
    Aince we're a' weel awaur o't,
    For, losh, I think it's time
    The claith was owre the parrot!

Tell me o' love o' country
Content to see't decay,
And ony ither paradox
Ye think o' by the way.
I doot it needs a Hegel
Sic opposites to fuse;
Oor education's failin'
And canna gi'e's the views
    That were peculiar to us
    Afore oor vision narrowed
    And gar'd us think it time
    The claith was owre the parrot!

A parrot's weel eneuch at times
But whiles we'd liefer hear
A blackbird or a mavis
Singin' fu' blythe and clear.
Fetch ony native Scottish bird
Frae the eagle to the wren,
And faith! you'd hear a different sang
Frae this painted foreigner's then.
    The marine that brocht it owre
    Believed its every word
    —But we're a' deeved to daith
    Wi' his infernal bird.

It's possible that Scotland yet
May hear its ain voice speak
If only we can silence
This endless-yatterin' beak.
The blessing wi' the black
Selvedge is the clout!
It's silenced Scotland lang eneuch,
Gi'e England turn aboot.
    For the puir bird needs its rest—
    Wha else'll be the waur o't ?
    And it's lang past the time
    The claith was owre the parrot!

And gin that disna dae, lads,
We e'en maun draw its neck
And heist its body on a stick
A' ither pests to check.
I'd raither keep't alive, and whiles
Let bairns keek in and hear
What the Balliol accent used to be
Frae the Predominant Pairtner here!
    —But save to please the bairns
    I'd absolutely bar it
    For fegs, it's aye high time
    The claith was owre the parrot!

Lourd on my Hert

Lourd on my hert as winter lies
The state that Scotland's in the day.
Spring to the North has aye come slow
But noo dour winter's like to stay
    For guid,
    And no' for guid!

O wae's me on the weary days
When it is scarce grey licht at noon;
It maun be a' the stupid folk
Diffusin' their dullness roon and roon
    Like soot
    That keeps the sunlicht oot.

Nae wonder if I think I see
A lichter shadow than the neist
I'm fain to cry: 'The dawn, the dawn!
I see it brakin' in the East.'
    But ah—
    It's juist mair snaw!

To Alasdair MacMhaighstir Alasdair

Sall moudiewarps like eagles thrill
Wi' a' the world at view?
Blether o' Burns and Tannahill
Wha kenna you
And roost their mice wha never saw
The Lion ava'?

Puir Rimbaud in his Bateau Ivre
Gaed skitin' roond a dub;
O' Earth and no' juist Hell un livre
The puir bit cub
Had aiblins made, gin he'd survived
Whaur your boat thrived.

Jaupin' the stars, or thrawin' lang strings
O' duileasg owre the sun
Till like a jeely fish it swings
In depths rewon,
And in your brain as in God's ain
A'thing's ane again!

Auld Noah in his sea-barn was
Your canny prototype;
Moses juist halved a burn, whereas
You'd seas to flype,
And Melville sailed to jouk the world
Through which you hurled.

As in his lines Valéry tries
To keep but their ain life,
Whereas in yours sea, earth and sky's
A' hotchin' rife,
Your genius copes wi' a' that is
In endless ecstasies.

The blythe broon wren and viein' linnet
Tune up their pipes in you,
The blackcock craws, the reid hen's in it,
Swan and cuckoo;
Fishes' and bees' and friskin' calves'
Acutes and graves!. . . .

O time eneuch for Heaven or Hell
　　Efter a man is deid,
But while we're here it's life itsel',
　　And meikle o't we need,
And, certes, coupin' up the Earth,
　　You f'und nae dearth!

Praisin' Morag or dispraisin',
　　What does a poet care?
Sugar Brook's tune, sea's diapason,
A's grist that's there.
Sodger, sailor, and poet chiel
　　—And man as weel!

Wad that in thae thrang modern times
　　I micht inherit,
And manifest in a' my rhymes,
　　Your dowless spirit,
That balks at nought—aye competent
　　To be—and ken 't!

Like Leontiev and you I'd keep
　　A' Earth's variety,
And to the endless challenge leap
　　O' God's nimiety
—Aiblins, like Him and you, great Gael
　　Whiles see Life haill,

As in yon michty passage in
　　The Bhagavad-Gita where
A' Nature casts its ooter skin
　　And kyths afore us, bare,
Compliqué, nombreaux,. . . et chinois!
　　The airmy o' the Law!

Old Wife in High Spirits

In an Edinburgh Pub

An auld wumman cam' in, a mere rickle o' banes, in a
faded black dress
And a bonnet wi' beads o' jet rattlin' on it;
A puir-lookin' cratur, you'd think she could haurdly
ha'e had less
Life left in her and still lived, but dagonit!

He gied her a stiff whisky—she was nervous as a troot
And could haurdly haud the tumbler, puir cratur;
Syne he gied her anither, joked wi' her, and anither,
and syne
Wild as the whisky up cam' her nature.

The rod that struck water frae the rock in the desert
Was naething to the life that sprang oot o' her;
The dowie auld soul was twinklin' and fizzin' wi' fire;
You never saw ocht sae souple and kir.

Like a sackful o' monkeys she was, and her lauchin'
Loupit up whiles to incredible heights;
Wi' ane owre the eight her temper changed and her
tongue
Flew juist as the forkt lichtnin' skites.

The heich skeich auld cat was fair in her element;
Wanton as a whirlwind, and shairly better that way
Than a' crippen thegither wi' laneliness and cauld
Like a foretaste o' the graveyaird clay.

Some folk nae doot'll condemn gie'in' a guid spree
To the puir dune body and raither she endit her days
Like some auld tashed copy o' the Bible yin sees
On a street book-barrow's tipenny trays.

A' I ken is weel-fed and weel-put-on though they be
Ninety per cent o' respectable folk never hae
As muckle life in their creeshy carcases frae beginnin'
to end
As kythed in that wild auld carline that day!

Nan Shepherd

Cauld, cauld as the wall

Cauld, cauld as the wall
That rins frae under the snaw
On Ben a'Bhuird,
And fierce, and bricht,
This water's nae for ilka mou,
But him that's had a waucht or noo
Nae wersh auld waters o the plain
Can sloke again,
But aye he clim's the weary hicht
To fin' the wall that lowps like licht,
Caulder than mou can thole, and aye
The warld cries out on him for fey.

William Jeffrey

George Bannatyne (1545–1608)

God's truth, my George! It seemed a waesome day
When, happit to the e'en, you fled the toun,
The Egyptian plague there breenging forth in soun
O' bairns and kimmers, stinkand in decay!
Your merkit gone, you stumpit north o'er Tay
(Your mither's banes ootcrying: come, puir loon!)
And there in Newtyle doucely sat ye doun,
And damned the warld to birl upon its way!

A bumper to you, auld George Bannatyne!
In nichts o' mirk within that Angus bield
Your quill compilit routh o' sangs divine
Frae 'copies auld, markit and vitillat,'
Conserving frae the brack the Muse's field,
Dunbar's reid rose, and Henryson's gib cat.

Allars of Heaven

Wand'ring the allars o' heaven among
Cry lilylou and lily fair
The unborn spirit spied her fate
Limned on the mirk ayont the gate,
And shrank adrede frae the marvel there.

In Galilee the young wife dwelt
Cry lilylou and lily fair
'She gaes big-boukit,' cried the queans,
But nane espied what celicall sheens
Gaed birlin' through her een and hair.

Near by the toun a binnering rowt
Cry lilylou and lily fair
Nailed her Son till the leafless tree,
Nailed Him up sae the warld micht see
The bluidy thorn that tore His hair.

Wand'ring the allars o' heaven among
Cry lilylou and lily fair
The mither and Son spy mankind's fate
Limned on the mirk ayont the gate,
And cry, 'Alake for the dule that's there.'

The Refugees

'Arise and flee into Egypt'
'There's a carline walkin' the road ootby,
A body wi' hair o' the streekit snaw,
And an auld man daunders at her side,
A chiel that's laggie and bent in twa.'

'They maun be folk frae a fremit toun.
Bid them come in and bide a wee.'
Sae the carline and the auld man came
And supp'd guid brose anent the swee.

I speer'd the taen, and I speer'd the tither,
And scant the answer did I get—
But O, the licht in their eldren e'en
Shone frae some gouden unkenned yett.

Quo' the carline frail, 'There's hame nae mair
In kintras raxt on the crookit sword';
But the bodach murmured, 'Nay, there's hame
Where folks are free wi' the kindly word.'

'Natheless,' quo' she, 'gang west, my son,
Westlins to isles o' Bride and the sea.'
Syne they rose and quaitlike went frae the door
And steppit west by the flowery lea.

Frae the broo o' a brae I saw them gang,
I saw them hirple to a lanesome shore.
I saw them pass abune the ferly seals
Withouten keel and sail and oar.

I saw them gang in a siller glore,
Walkin' the sea in' a calm sae still—
The braid eard faulded like a rose
And Bethlehem gloss'd an island hill.

Sea Glimmer

Sair gruppit by the flesh, and wraxed wi' thocht
That canna in this birlin mappamound
Mak sense o' stem and flouret, I was brocht
By chance or flichter o' a birdis sound
Intil the faem-reach o' a muckle sea
Where mews and gannets danced in lichtsome round,
    Wi' mony a dip and bound,
And tongues o' ilka wave liglagged wi' me.

This maks an end, I cried. The ontron's here
Of oucht that could hae yielded anchorage
In a' this skimmer and shallmillen'd steer.
A wave's green wame shall still the bluid's lowse rage,
The lassocks o' the sea shall pile the banes
Of ane that wad hae rouped an archimage
    O' signs and sayings sage
Upon the autumnal weeds and cauldrid stanes.

To shield the dooming thocht frae lanesomeness
I spied me in a skaddow o' that coast
A larach-cairn where ance wi' blithesomeness
Beilded the hunters o' the mackerel host.
The taed and horny-goloch snoovled by
Toom hearths where burly fishers ance made boast
    O' midnichts tempest tossed,
    Their ears aye thrumming wi' the thunder's cry.

William Soutar

Apotheosis

Afore the world, like a frostit stane,
Birls on thru space;
Afore the sin has gaen black in the face,
And the nicht liggs in the lift
And winna shift;
Lang, lang afore the hinmaist skelter o' snaw
Dings and dings in a yowdendrift
That faulds, like the dounfa'
O time's cauld mort-claith, round the deid yird—
Man sall tak wings;
And, as a bird, flee owre the wa' o' the world
To bigg his nest in the braid breast
O' Cassiopeia
Or whaur the galaxy hings like a watergaw
Lippen on nae sin.

* * * *

Lang, lang, or earth's day is dune
Man sall tak wings
And lauch at the auld-farand blethers
O' gowdan feathers;
And lauch, and lauch, while his bluid sings,
Abüne the gaunch o' the thunner,
And the deid sterns ane be ane
Whunner by like flauchts frae a cleckin-stane.

Birthday

There were three men o' Scotland
Wha rade intill the nicht
Wi' nae mune lifted owre their crouns
Nor onie stern for licht:

Nane but the herryin' houlet,
The broun mouse, and the taed,
Kent whan their horses clapper'd by
And whatna road they rade.

Nae man spak to his brither,
Nor ruggit at the rein;
But drave straucht on owre burn and brae
Or half the nicht was gaen.

Nae man spak to his brither,
Nor lat his hand draw in;
But drave straucht on owre ford and fell
Or nicht was nearly düne.

There cam a flaucht o' levin
That brocht nae thunner ca'
But left ahint a lanely lowe
That wudna gang awa.

And richt afore the horsemen,
Whaur grumly nicht had been,
Stude a' the Grampian Mountains
Wi' the dark howes atween.

Up craigie cleuch and corrie
They rade wi' stany soun',
And saftly thru the lichted mirk
The switherin' snaw cam doun.

They gaed by birk and rowan,
They gaed by pine and fir;
Aye on they gaed or nocht but snaw
And the roch whin was there.

Nae man brac'd back the bridle
Yet ilka fit stude still
As thru the flichterin' floichan-drift
A beast cam doun the hill.

It steppit like a stallion,
Wha's heid hauds up a horn,
And weel the men o' Scotland kent
It was the unicorn.

It steppit like a stallion,
Snaw-white and siller-bricht,
And on its back there was a bairn
Wha low'd in his ain licht.

And baith gaed by richt glegly
As day was at the daw;
And glisterin' owre hicht and howe
They saftly smool'd awa.

Nae man but socht his brither
And look't him in the e'en,
And sware that he wud gang a' gates
To cry what he had seen.

There were three men o' Scotland
A' frazit and forforn;
But on the Grampian Mountains
They saw the unicorn.

The Makar

Nae man wha loves the lawland tongue
But warsles wi' the thocht—
There are mair sangs that bide unsung
Nor a' that hae been wrocht.

Ablow the wastrey o' the years,
The thorter o' himsel',
Deep buried in his bluid he hears
A music that is leal.

And wi' this lealness gangs his ain;
And there's nae ither gait
Though a' his feres were fremmit men
Wha cry: *Owre late, owre late.*

The Thistle Looks at a Drunk Man

The wild November blasts had set
Auld locks lood-tirlin at the yett,
An' brocht the haur, baith cauld an' wet,
    Doon fae the North;
Roosin the sea until its ket
    Had fleesh'd the Forth.

Nae time wis it for man nor beast
Tae lave the biggin o' their nest;
The cosy hole or chimley-breest
    What gien them shelter,
Against the cruel, bitin' East
    An' North's weet skelter.

On sic a nicht intae the neuk
I got deep plankit wi' a buik;
Peitry I thocht it by the look
    O' lines askewie:
A' wrocht be ane, wi' scribbler's yeuk,
    They ca' Wee Hughie.

I stecher'd on a page or twa
But süne my heid began tae fa;
My braith gaed wi' a soochin ca'
Or wi' a wheep;
An' howdlin owre ayont the wa'
I drapp'd asleep.

Monie a dream's been dern'd intill
The heids o' men; an' he's a füle,
They say, wha kerries fae this mull
Tae them ootby:
But Keats tauld o' his lanely hull
An' sae wull I.

I saw a thustle a' alane
Fu' heich abüne the tapmaist Ben;
Onlie ae fit had stotterin gaen
Asklent its sicht,
Whan fou the müne wis, wi' but ane
O' the sterns for licht.

Its heid wis boo'd, in sair africht
Its jabs sae reestit that ye micht
Hae thocht the Deil's ain brinstane licht
Had low'd abüne.
'Thustle!' said I, 'what kind o' plicht
Is this yer in?'

Wi' that it lufted up itsel'
An' wagg'd an airm, an' lat the snell
Blaw o' the mountain rin tae mell
Aboot its body;
Then lauchin' said: 'E'en fowk in Hell
Wud scorn yon toddy!

'But freen, ye'll no ken weel, I wot,
The mark my wurds are drivin' at;
An' juist tae lat ye hear what's what
Come, sit ye doon;
Richt there whaur my drunk neibor sat
Aneath the mune.

'A lad o' pairts he wis; an' brose
Ocht tae hae buskt, abüne his nose,
Oor couthie genius; till in prose
    Or rantin rhyme,
He micht hae heis'd, mair than Montrose,
    Ayont a' time.

'But hamely fare wis no for him:
He laidl'd owre his gutsy rim
A' kinds o' meat tae stap each whim
    Kitlin his void:
Rocher an' Blok an' Joyce (Nim! Nim!!)
    Mallarmé, Freud.

'Wi' booze o' a' guffs he wud droon
That honest Doric, as a loon,
He throve on in a bonnie Toun
    Whaur fowk still speak
Nae hash o' German, Slav, Walloon
    An' bastard Greek.

'Nae doot he thocht his reekin braith
Wud be aboot me as a graith
O' livin water: but Guid faith!
    It wis a splore
That brocht me hantle nearer daith
    Than ocht afore.

'Whan Wull Dunbar an' Henrysoun
Aft gard me loup tae monie a tune,
Makin' my jeints gang up an' doon
    Wi' unco styne;
I kent sma hairm then, bein' a loon;
    But that's lang syne.

' 'Am owre auld noo for sic a shavie:
An' gin my boo'd fits hae the spavie
Fu' weel I ken yon loon's purgavie
    Is no the yin
Tae mak me whustle like a mavie
    An' dance tae the tune.

'Wi' ploys like yon intill my nottle
Or lang I'd süne be düne an' dottle;
Nae penny wheep or spleutrie bottle
    Sall straught this back.
Fegs! if it's drams—there's Aristotle
    Wi' phiz tae tak.

'Hughie! nae doot ye think 'am waggin
My heid owre lang at ye, an' naggin:
But it's my naitur tae be jaggin
    Baith freen an' fae:
Nemo impune (ye ken the taggin)
    Lacessit me.'

Wi' that a wind cam up the howes
An' loupit owre the tapmaist knowes,
Flightin' the thustle tae lat louse
    A sang o' glee;
Until the lauchter in his boughs
    Upwaukin'd me.

The Auld House

There's a puckle lairds in the auld house
Wha haud the wa's thegither:
There's no muckle graith in the auld house
Nor smeddum aither.

It was aince a braw and bauld house
And guid for onie weather:
Kings and lords thrang'd in the auld house
Or it gaed a' smither.

There were kings and lords in the auld house
And birds o' monie a feather:
There were sangs and swords in the auld house
That rattled ane anither.

It was aince a braw and bauld house
And guid for onie weather:
But it's noo a scrunted and cauld house
Whaur lairdies forgaither.

Lat's ca' in the folk to the auld house,
The puir folk a' thegither:
It's sunkit on rock is the auld house;
And the rock's their brither.

It was aince a braw and bauld house
And guid for onie weather:
But the folk maun funder the auld house
And bigg up anither.

Hal o' the Wynd

Hal o' the Wynd he taen the field
Alang be the skinklin Tay:
And he hackit doun the men o' Chattan;
Or was it the men o' Kay?

Whan a' was owre he dichted his blade
And steppit awa richt douce
To draik his drouth in the Skinners' Vennel
At clapperin Clemmy's house.

Hal o' the Wynd had monie a bairn;
And bairns' bairns galore
Wha wud speer about the bluidy battle
And what it was fochten for.

'Guid-faith! my dawties, I never kent;
But yon was a dirlin day
Whan I hackit doun the men o' Chattan;
Or was it the men o' Kay?'

Albert Mackie

Elegy

By the chitterin' lowe o' a candle or twae I see,
Auld freend, that ye're settled and quate at last in your kist,
And limbs are happit wi' cloots that were yince as free
As the drivin' mist.
Auld freend that's deid, I ken whae'll be missin' ye,
And where ye'll be missed.

At the end o' the toon, a wee bit left o' the nock,
There's a hantle o' men forgetherin' in a place;
The feck o' them's plain, jist Tam and Peter and Jock,
A simple auld race—
But in that canty, neeborly, nudgin' flock,
There's wantin' a face.

Mony's the chap ye hae had on the Seturday nicht,
Aye sarious-pow'd, and canny o' hand and slaw,
Till even the droothy stapped drinkin' tae hae a sicht
O' playin' sae braw—
And noo ye hae played us a pliskie tae gie us a fricht,
Chapp'd yince and for a'.

The auld toon pub will be chynged a'thegither a'maist,
The auld cheat himsel will be gowpin' a' nicht at the flair;
For nae mair he'll be telt hoo his beer o' the burn has a taste
Or his cheese is a' hair,
Or his pies are gey auld in the meat or gey wersh in the paste—
He'll be missin' ye sair.

Folk'll no ken whae tae speir at for this and for thon,
What radium is, and the Ruhr, and the Plimsoll line,
Hoo lang the colliers' strike is like tae gang on,
And a' that they'll tine,

And what gars tinns come oot o' a gramophone—
Ye could tell them fine.

Noo the stories ye telt will be telt by ither men,
That'll stot and boggle aboot, I'm a'maist shair,
And'll gang and make sic a hash as ye widnae ken
'Twas the same affair—
And no the half o' the lauchs'll come dinlin' ben
As when you were there.

But the boys will be waggin' their pows and be
thinkin' o' you,
And yin tae the ither will say, 'Ay, *he* telt thon;
Ye mind hoo he gabbelt on when he'd gotten fou,
Like my granny's rhone—
God ! He was a man that we hinnae the likes o' noo—
A gey lad John!'

Sea Strain

I fand a muckle buckie shell
And held it to my lug,
And shurlan doun the stanie shore
I heard the waters rug.
I heard the searchers at their wark,
Waves wappan at the hull;
I heard, like some dementit sowl,
The girnin o the gull.
I heard the reeshlin o the raip,
I heard the timmers grane;
I heard the sab o a sailor's bride,
Forever burd alane.

Thunder Sky

It will be plowtan syne: the lift
Wad lopper the milk o aa the toun;
But heedless o what cluds may drift,
What weet micht blatter doun,
Heedless o hou the simmer sky
Swithers atween the licht and gloom,
Twa bits o lassies wander by,
Twa bairns gaun for a soom;
They oxter ither wi powes thegither,
Huggan ilk promise o delyte,
Their costumes, wraps—and buttered baps
Kept for a shiverie bite.
Guidsakes, man, I'd gie aa I hae
To see the warld wi een like thae.

To Hugh M'Diarmid

Nae poet was but socht tae scan
The lippenin' o' God in man,
Or hauf-jaloose the aim divine
In cats and dowgs and hens and swine,
Or a' His ettlements that lie
In flesh and harns o' sheep and kye;
Or what in a' this wilderness
O' toons and beeskeps, tilth, and gress,
And a' the seas and suns unseen,
The Grand Anthropomorph could mean;
What gar'd Him throw amon' the stoor
And tim cracked jeely-jars a floo'r
Tae leam and flauchter owre the cairn
O' kail and tea-leafs, guts and shairn;
Or what thrawn pliskie made Him gar
Men fyke for floo'rs amon' the glaur.
Nae poet was but bid tae ken
His ain thochts liddenin' but and ben,
For a' he fashed, for a' he dared,
Could never be the least wey snared
(Or at the maist like jenny-spinner
That lea's a silly fit ahin' her);

But bid tae ken that he wid need
(Tae pit on paper a' his screed)
Mair nor he'll mister o' the notes
O' English poetry and Scots,
The haill o' oor twae tongues thegither
Wi' ilkae word o' ilkae ither,
O' Czech and Urdu, Gaelic, Greek,
And mair tongues nor yae tongue can speak;
And even were he quite as clever,
His lear wid lea' him dumb for ever,
As dumb as ony Heelant stot,
As dumb as God the Polyglot.
Ye kent thir things, yet werenae dung
But like the roopit stirlin' sung
That warsles wi' its costive sang
Till swith there comes a ripple, thrang
Wi' a by-ordnar music braw
That only God kens what tae ca';
Sae in your lines as in oor life
Springs Beauty like a leamin' knife
Leapin' tae save some sair-pressed lad,
Or hoose that through the on-ding's blad
Stands open-door'd, or as the kent
Place is tae him that's wanderspent;
And even the ugsome driech o' this
Auld clarty Yirth is wi' your kiss
Transmogrified yince mair tae thon
Bricht itherwarld tae mystics shown.
I aye saw mair in life nor micht
Be fund in books—a drucken nicht,
A Free-kirk service, dancin' floo'rs,
A wooin' in the wee sma' oors,
A merridge or a birrial,
Wid hyst me mair than books e'er shall;
But twae books gied me something strange
Ne'er fund in a' my warld's range—
Yin by an Irish chield ca'd Joyce,
And yin by you in Doric voice.[1]
Guidsakes, I never thocht tae see
The Scottish Muse stravaig sae free
Through a' o' Yirth and Hell and Heeven
And oot-and-in its ainsel even,

And in my tongue and in my time
Hear life's bambaizement set tae rhyme.
Scotland has haen yae God owre lang
But when her deefness hears your sang
I dootnae Rab will hide his face
And Hugh M'Diarmid take his place—
And Scotland that seems thrawn tae ill
Bide thirled tae the yae God still;
Else, or a deid M'Diarmid turns
Tae form a Twae-in-Yin wi' Burns,
Annand, mysel, and twae-three ither
Maun breenge wi' shoothers pang'd thegither
Intill that owre exclusive Heeven
And big for Scotsmen no yet leevin'
A Polythee, a Scots Olymp,
Where neither breid nor bree will skimp,
Sae ilkae Scot may take his wale o' us
Or gif he likes rejeck the haill o' us.
Eneuch o' that; that's no oor fash noo;
We're in amon' the live stramash noo
O' men that big and cannae ken
Or where or hoo the too'r will en';
What storms or gods or fremt invasion,
Or strife within, or tongues' confaision,
May whummle a' oor bonny Babel
And lea' it tae the wild beasts' raibble;
Or whether wi' ilk stane stapped stieve in
The edifice will whummle Heeven—
We cannae ken, but I wid wauger,
Gif I could ca' mysel a gauger,
That gif this Hoose is sweer tae hain
The wyte's no in her corner stane,
And gif this Kirk lets ocht unseat her
The wyte's no in her Simon Peter.

[1]His 'A Drunk Man looks at the Thistle.'

Robert McLellan

Winter

Deep in their stanie holes in the steilie burn
the stairvelin troots lie thin in frozen sleep,
their toom wames worm-hames, and the hoodie craws,
at ilka yowe-hoast frae the snaw-smoored fank,
tichten their quait daurk daithly ring
to gether wi black beak to the blank een
o the first cauld corp, and flame and smeik
belch in the heich craigs frae deidly muzzles
to scatter shot-stangs at the fleein hares
that lowp and cowp and streitch, and stain the wraiths
abune the grushie moul whaur the Iceland queen[1]
sleeps in her seed by her deid simmer rutes.
The reid bluid seeps to her happit bed
to sloke her life drouth at the sun's turn.
The eggs in the redds and the lambs in the ourie yowes
bide their time tae, for pouthert snaw
spumes frae the splintert tap o the heichest scaur:
Daith's icy banner ower the haill isle warld.

[1]The Iceland queen, *Koenigia islandica*, an annual peculiar to Iceland and the Faroes which flowers above 2,000 feet.

Nicht Watch

Sae lane and dowie,
dowf and dreary,
cauld and weary,
and the hairt in my breist like leid.

The grun aneth me
sae saft and snawie,
sae clear and staurrie
the lift abune me,
the gun aside me.
Sae daurk and daithly,
and the war sae faur frae dune.

O, could I sit by my fire,
O, could I sit wi my wife again,
and O, could I watch on the rug at my feet
the bairn I hae haurdly seen.

The Lanely Fisher

By the wan watter o the Fjallavatn[1]
in the lang grey dim o a simmer's nicht
there lie to the feet o the lanely fisher
the bluid-bedabblet feathers o the shalder,
the peckit banes o the wee tammie-norie,
and daith's angel, the deil-faured skua
twangs in the eerie glume aboot his heid
like the fingert gut o a boss fiddle,
seeks in its lichtnin dive his thin-baned croun,
its wud een lowin wi the watter's licht,
its forkit tail the fleein skirts
o a fang-tuthit troll; and at a likely rise
he lifts his heid in fricht, and jerks his flee:
the quick troot gowps in the toom air,
strauchtens, hits the watter wi a skelp,
and waukens the haill heich craigie quaich
wi the muckle black-back's bogle craik
and the hairt-wrung wail o the wheelin whimbrel.

[1]A hill loch in the Faroes.

J. K. Annand

Arctic Convoy

Intil the pitmirk nicht we northwart sail
Facin the bleffarts and the gurly seas
That ser' out muckle skaith to mortal men.
Whummlin about like a waukrife feverit bairn
The gude ship snowks the waters o a wave.
Swithers, syne pokes her neb intil the air,
Hings for a wee thing, dinnlin, on the crest,
And clatters in the trouch wi sic a dunt
As gey near rives the platin frae her ribs
And flypes the tripes o unsuspectin man.

Northwart, aye northwart, in the pitmirk nicht.
A nirlin wind comes blawin frae the ice,
Plays dirdum throu the rails and shrouds and riggin,
Ruggin at bodies clawin at the life-lines.
There's sic a rowth o air that neb and lungs
Juist canna cope wi sic a dirlin onding.

Caulder the air becomes, and snell the wind.
The waters, splairgin as she dunts her boo,
Blads in a blatter o hailstanes on the brig
And geals on guns and turrets, masts and spars,
Cleedin the iron and steel wi coat o ice.

Northwart, aye northwart, in the pitmirk nicht.
The nirlin wind has gane, a lownness comes;
The lang slaw swall still minds us o the gale.
Restin aft-watch, a-sweein in our hammocks,
We watch our sleepin messmates' fozy braith
Transmogrify to ice upon the skin
That growes aye thicker on the ship-side plates.

Nae mair we hear the lipper o the water,
Only the dunsh o ice-floes scruntin by;
Floes that in the noon-day gloamin licht
Are lily leafs upon my lochan dubh.
But nae bricht lily-flouer delytes the ee,
Nae divin bird diverts amang the leafs,

Nae sea-bird to convoy us on our gait.
In ilka deid-lown airt smools Davy Jones,
Ice-tangle marline spikes o fingers gleg
To claught the bodies o unwary sailors
And hike them doun to stap intil his kist.
Whiles 'Arctic reek' taks on the orra shapes
O ghaistly ships-o-war athort our gait,
Garrin us rin ram-stam to action stations
Then see them melt awa intil the air.

Owre lang this trauchle lasts throu seas o daith,
Wi ne'er a sign o welcome at the port,
Nae 'Libertymen fall in!' to cheer our herts,
But sullen sentries at the jetty-heid
And leesome-lanesome waitin at our birth.

At length we turn about and sail for hame,
Back throu rouch seas, throu ice and snaw and sleet,
Hirdin the draigelt remnant o our flock
Bieldin them weel frae skaith o enemie.
But southwart noo we airt intil the licht
Leavin the perils o the Arctic nicht.

Vivat Glenlivat

Slainte mhor, Minmore!
Uisgebeatha's spiritual hame
Weill ye deserve all fame.
Lang may your lum blaw reik;
Connoisseurs come to seek
Dew o the mountain
Here at its fountain.
Vivat Glenlivat.

Burn fed by mountain spring
Water o life can bring,
Peat frae the heather muir
Gies maut its flavour rare,
Barley frae Moray Plain
Turns liquid gowd again.
Vivat Glenlivat.

Pot still o barley bree
Under maist watchfu ee
Tended by cannie men
Distilled perfection then
In sherry cask matured
Speerit sublime ensured.
Vivat Glenlivat.

Skill 'tis that gies her real
Flavour to savour weill.
Speerit the maist select
Kittles the intellect.
Warmth throu the body flows,
Brings to the mind repose.
Vivat Glenlivat.

Slainte mhor, Minmore.
Vivat Glenlivat.

Alex Galloway

The Labourers

Oh, furthie was the word he spak,
But doolsome was his e'e.
'Ye wadna like to change us jobs?—
Ye're no sae daft,' said he.

Toil-sprent, he looked frae owre the rig,
And he was ane o' three.
I smiled to smoor the thochts that stoun,
But anither said to me:

'We're the fules wi' the heaviest darg
That get the lichtest pey.'—
Oh, I turned frae them and saw the third
Wha didna gar me stey.

Doon-moo'd, he naither looked nor hard,
But stared intill the yirth:
And I was gled to leave the land
Whaur simmer brocht nae mirth.

Robert Garioch

'. . . That is Stade in Perplexite . . .'

Scraping an encrustit stane
　　wi some carved letters, lichent-owre,
　　an archaeologist, ye glowre;
sae lichtly, lichtly mak it plain.

Is it in verse? Lang-pairtit chimes
　　tune in thegither; twa by twa
　　ye lowse them frae their hazel-raw,
maikan lang-disparplit rhymes.

To set the thing in time and space
　　is nou yer care; by estimates
　　ye bracket it about wi dates;
ye geynear hae it in its place.

Gowden, aye new, in aureat leid,
　　buirdly, unset, a sang is raisit
　　that wad be dumb, ye are abaysit,
but for yer succoure and remede.

Garioch's Repone til George Buchanan

Aye, George Buchanan, ye did weill
to wuss thae callants to the Deil
and lowse yoursel frae sic a creel;
    I've felt the same mysel.
We hearit your sad story throu
wi muckle sympathy, sae nou
    hear what I hae to tell.
I've screivit monie a sang and sonnet
sin owre my heid they waved thon bonnet
    made out of your auld breeks,
and see me nou, a makar beld
wi bleerit een and feet unstell'd,
    no worth a cog of leeks.
And, like a leek upturned, I'm seen
white on the tap, but gey green
    in ither weys, I dout;
Maister of Arts, but wantin craft,
sma wunner some folk think I'm daft
    and snicker in their snout
to see me thole, week eftir week,
thon wey of life made ye that seik
ye utter'd thanks in Latin speik
    the day whan ye wan out.
A dominie wi darnit sark,
raxan his harns frae daw til dark,
    maun luik gey like a fule,
whan couthie dunces pey him hauf
of what he'd mak on onie staff
    outside a council schule.
Guid luck to ye! But as for me,
it's a life-sentence I maun dree,
the anelie chance of winning free
    that I may mention
wi houpe, sae faur as I can see,
    my teacher's pension.
In kep and goun, the new M.A.,
wi burnisht harns in bricht array
    frae aa the bukes he's read,

nou realises wi dismay
he's left it owre late in the day
    to learn anither tred.
What has he got that he can sell?
nae maitter tho he scrieve a fell
guid-gaun prose style, Ethel M. Dell
    he canna rival.
Poetic pouers may win him praise
but guarantee nae fowth of days
    for his survival.
A kep and goun—what dae they maitter?
a kep and bells wad suit him better.
He's jist an orra human cratur,
    yaup as a lous.
Tho he be latinate and greekit,
he kens that ilka yett is steekit
    but Moray Hous.
Nou see him in his college blazer;
the Muse luiks on; it maun amaze her
    to see his tricks,
like shandy in the Galloway Mazer
or Occam tyauvan wi his razor
    to chop-up sticks.
Afore his cless he staunds and talks
or scrieves awa wi colour'd chalks;
nae mair by Helicon he walks,
    or e'en St Bernard's Well.
In clouds of blackbrod stour he's lowan
anent some aibstract plural noun,
while aa the time his hert is lowan
    in its wee private hell.
At nine a.m. she hears him blaw
his whustle, and lay doun the law
out in the pleygrund, whether snaw
    shoures doun, or Phoebus shines.
Wi muckle tyauve she sees him caa
chaos til order; raw by raw
    he drills his bairns in mainner braw,
weill covert-aff in lines.
They mairch til the assembly-haa
to sing a psalm and hear a saw

or maybe jist a threit or twa,
    as the heidmaister chuse.
Syne in his room she sees him faa
to wark; she hears him rant and jaw
and hoast and hawk and hum and haw,
blatter and blawp and bumm and blaw
and natter like a doitit craw,
teachin his bairns to count and draw
and chant gizinties and Bee-baw,
and read and spell and aa and aa,
faur owre taen-up wi maitters smaa
    to mind him of the Muse.
Whan schule has skailt, he maun awa,
whaur? ye may speir—to some green shaw
to meditate a poem?—Na!
    His lowsan-time is faur
aheid: to organise fi'baw
    and plouter in the glaur.
Late in the day he hirples hame
wi bizzan heid, a wee-thing lame,
and indisjeesters in his wame,
    and that may cause nae wunner:
whan ither folk may dine at hame,
    he's dishin-out schule-denner.
Sae ilka week and month and year
his life is tined in endless steir,
grindin awa in second-gear
    gin teaching be his fate.
The Muse, wha doesna share her rule
wi sordid maisters, leaves the fule,
    sans merci, til his fate.

MORAL

Lat onie young poetic chiel
that reads thae lines tak tent richt weill:
    THINK TWICE, OR IT'S OWRE LATE!

The Bog

The lyft is lourd abuin the hechs and howes,
peat-bog and mist hae left nae space atween;
the puddock cours doun frae the wecht abuin,
here is nae leevin-space for men or yowes.

We fecht to lowse oursels, we coup and skar
and joater menseless in the foazie grun,
feart to bide still, and fusionless to rin,
we plouter on, forfeuchan, through the haar.

We rax doun, seeking rock, wi feet grown nesh
frae clatchin in thae never-ending clarts,
ettlin to traipse on stanes, to thole their scarts,
and win to some green haugh, kind to the flesh.

Tho weill we ken it's aye the same auld place,
we fuil oursels to pech and plouter on
frae this black oily puddle-hole to thon,
that gies the meisor of our hirple-pace.

Our thochts are aye on skinklan burns, dour rocks,
clean waters we cuid loup frae stane to stane,
bricht in the sun or weet wi dounricht rain,
dazzlit wi licht and stoun'd by solid shocks.

But maist we think of gangin ither airts,
whaur we micht hae faur distances in sicht,
think lang to traivel til a warld of bricht
pure colour in outlandish foreign pairts.

Sae we jalouse some howff juist owre the brae,
some hevin abuin the sterns, juist out of sicht,
whaur we cuid gae the morn, gin we micht
loup owre the muin, as did the famous quey.

Wanting some yirdlie hevin for Almains,
the Fuhrer maks a furore in our lugs;
we bield in ivory touers or Luftwaffe-skugs,
while bummlan boomers threaten broken banes.

Thae men that fetch us boombs frae yont the seas,
    heich in their Heinkels, ken the same despair;
    they maun skite flat-out on the slidder air,
forever doomed, like us, to future ease.

Nou the impassioned banshees, in F-moll,
    screich out wi siren voices, anger-riven,
    Beethoven's chord of Opus 57,
the same that skeiched us in the Usher Hall.

The causey street we staund on shaks and shogs,
    freestane fowre-storey housses flee in air;
    real super-realism everywhere
maks grand pianos mate wi clarty bogs.

The bog—I ken the feel o't weill eneuch,
    tak its conditions, staund and dinnae fecht
    to lowse my feet, and find it tholes my wecht
ablow the haar, gin but my heid be leugh.

And here are colours braw as onie shroud:
    broun and dark broun, black and mair black, an aa
    the fud or hint-end of the watergaw,
whaur I hae fand my forpit-met of gowd.

Weill-Met in Buchan
(for Hamish Henderson)

I met the Deil in Buchan late yestreen
at a cross-roads, no jist by chance, of course;
he saw I'd brocht the bridle frae my horse
and shawed himsel quite cleir to my ain *een*.

Gey quick, I had my bridle owre his heid
and loupit on his back. He didnae mind,
bit wes in aa his weys genteel and kind,
altho in shape a horse, raither, a steed.

I wadnae say I rade him; I cuid feel
he wes the maister, tho I had the reins
and guidit him by heuks and cruiks of lanes;
folk say he's a gey handy man, the Deil.

He wes maist courteous, a decent crony;
we blethert jist like orra human craiturs
on this and that, ye ken, general maitters,
nae secrets, tho; he didnae tell me onie.

I kent, mind you, this wes the situation
of Doctor Faustus in his final Act
whan yon same Deil tuik Faustus on horseback
to music, wi Berlioz' orchestration.

Houiver, he'd nae muckle yuis fir me;
whan I made sleekit mention to the Deil
of Faustus, 'Aye,' he said, 'a cliver chiel,
bit ach! sowls is nae fat they eest to be.'

And They Were Richt

I went to see 'Ane Tryall of Hereticks'
by Fionn MacColla, treatit as a play;
a wyce-like wark, but what I want to say
is mair taen-up wi halie politics

nor wi the piece itsel; the kinna tricks
the unco-guid get up til whan they hae
their wey. Yon late-nicht ploy on Setturday
was thrang wi Protestants and Catholics,

an eydent audience, wi fowth of bricht
arguments wad hae kept them gaun till Monday.
It seemed discussion wad last out the nicht,

hadna the poliss, sent by Mrs Grundy
pitten us out at twelve. And they were richt!
Wha daur debait religion on a Sunday?

Scottish Scene

They're a gey antithetical folk are the Scots,
jurmummelt thegither like unctioneers' lots
or a slap-happy faimly of bickeran brats;
the scrauch of their squabbles wad gie ye the bats.
Twa cock-blackies wad blush fir shame
to be that ill neibors as onie of thaim—
of *thaim:* the glib third-person tells
on me anaa; whit I mean is *oursels.*
Wha's like us? Here's the answer pat:
no monie, and muckle braw thanks fir that.
And wha's gaen about like me or like you?
Ye ken the solution yirsel: gey few!
And if I'm in the richt, as I ken I sall be,
the lave are aa wrang, I think ye'll agree;
supposin ye dinnae, I'll curse and I'll ban,
and I'll cry on Jehovah to lend me a haun
to lairn ye and yir upstairt gang
that I'm in the richt and ye're in the wrang.
Jehovah and I are gey faur ben
sen I chose to be yin of his chosen men.
And I dinnae fecht fir masel, forbye;
we fecht fir Scotland, Jehovah and I,
fir we ken faur better whit Scotland needs
nor onie of Scotland's lesser breeds,
owre thrawn, owre thick in the heid, or the pelt,
to listen to me and dae as they're telt,
owre donnart, even, and owre obtuse
to curl up under my clever abuse.
Duty is duty, but it's nae joke
to sort thae curst antithetical folk.

John Kincaid

Til Oor Reid Intelligentsia
(*Anent proposals ti celebrate the Inglis Bourgeois Revolution,* 1649)

Our southern fieres plan whitna ploy
ti celebrate ane Stewart heid
wi banners, speeches, cracks, an joy . . .
an aa ti sing bourgeois remeid.

Nae doot the intellectual nob
can dae a thing ir twa wi Marx,
an yaise the patience o a Job . . .
but whaur's ma Lenin an his warks?

Aweel, there's pickle sense in sneeran
at sic an exercise intense;
the Inglis loon's aye muckle steerin
ti fuff his cocky kintra's mense.

But if they ask us Scots ti jine in
the memory o daith's-heid Noll,
they'll sune fin oot we're no sae dwinan
—the answer wull be shairp wi gall.

Na, nae historians,
nir phantasmagorians,
cud mak us lift a haun ti help
a ceilidh fur yon hellion whelp
wha garr'd his Ironsides destroy
oor Scottis lear, the Irish joy,
an thrawed the neck o oor proletariat
wi a lang lang bourgeois lariat.

A Glesca Rhapsodie
(for Thurso Berwick)

Eh, ma ceitie o raucle sang,
ma braid stane citie wi dwaums o steel.
Eh, ma Glesca; ma mither o revolt,
dauran the wunds o time in a raggit shawl.
Eh ma hanselt hinnie wi scaurs o war,
ma twalmonth lassick, ma carlin ages auld.

Chaunt me a rummlan neerday mass;
intone me psalms o bairnies in backcoorts;
sing me the setterdays thit staucher owre
the dreich cauld wecht o the waerife weeks.
Pipe me a reel o tapsiltoorie days
ti swing about the langerie the lums weel ken;
eh, fife me halloweens ti bigg a brig
atween the keenin grey o slumtith's lear
an yon douce lauchin o oor Glesca spirit;
dirl me strathspeys o tenement an shielin
ti gar the saul gae lowpan crottlan waas;
an whussle a jig o puirtith full wi praties,
an crood me ceilidhs in a luver's close
sae I may fuit a sermon duin in daunce
atween the dounset creeds aa skailed o faith.

Ma hinnie lauchs wi drowie een
an fulls me fou o glamourie.
She pairts the flichteran haar o efternuin
an tittles luve atween twa watergaws,
an glinks o wudrife gleid ablow the hert.
She braks the fairheid fronds o Kelvingrove
ti mell an incense fur oor lemanrie,
an tuims me oot the daurk-douce wines o Clyde
ti pent oor warsslan wi reid gaietie.
Ma hinnie is no lassock no yet stappit,
fur hunger kennt hir ploy an age afore
she drappt the ugsom factries frae hir wame;
an puirtith, aye hir gallivantin man,
huis gaed his gait gey aften, spelran wark,
an left hir lourd an lane in labour,
ti dree ane routh o street-begrutten weans;

an hirplan daith huis bairned her mony times
i the smouchteran steer o a wheen o wars.
—But eh ma hinnie, ma raucle hizzie,
ma hinnie o syvers rinnin wi lear,
ma limmer o tenements bydan fur daw,
ma skilp o skelps frae a reuch-rife warld,
ma besom blye wi glinkan een,
I rise frae yuir mou wi ma saul ondaunsin
an a solemn sang i ma swoundan hert.

Scart ma een wi fingers o steel
suld I gae greinan fur the derelict staurs
yet be beukieburd-blin til syver-schene,
til raucle mystery i puirtith's een,
an warld onfechtan i ma causey scaurs.

Brak ma banes wi fingers o steel
suld I mak gods wha kenna wardlin stour
an flee til them fur tawpie toom remeid.
Ir suld I clash o hevins wi the deid
an seek but them—lat there be nae retour.

Gralloch me oot wi airms o steel
suld Gorbals lauchter dwine i ma reithe hert,
suld I be fause til tenement an fiere
an lang ti grow aa siller-sonsie, steir,
by thowless practics o the Monger's airt.

But luke . . .
Camlachie stalks across the firmament
ti licht a gleid against aa tyrannie,
an Brigton braks the tap o trauchled yerth
to lay doun shairer founds fur dwaums,
an Garngad shaws its Shannon treesyur
ti pey its bairnies fur a wake fur beautie.
Ay, luke . . .
ma hinnie citie streetches in the daw
ti tak the sun's heich routh o glaumerie
an mell it wi the reek, the yairds o Clyde,
the tenements, the haas, an kirks, an lums,
sae keltic leids can grow in puirtith streets.
An heich ma hinnie throws hir lauchin vyce

ayont the mysteries o lowerin lyfts
ti full hir luvers wi hir certaintie.

Eh ma hinnie o raucle sang,
ma braid stane citie wi dwaums o steel,
ma hanselt hinnie, ma carlin gurlie-rife,
ma douce reithe citie, ma haill lee-life.

Olive Fraser

Benighted in the Foothills of the Cairngorms: January

Cauld, cauld is Alnack . . .
Cauld is the snaw wind and sweet.
The maukin o' Creagan Alnack
Has snaw for meat.

Nae fit gangs ayont Caiplich
Nae herd in the cranreuch bricht.
The troot o' the water o' Caiplich
Dwells deep the nicht.

On a' the screes, by ilk cairn
In the silence nae grouse is heard,
But the eagle abune Geal Charn
Hings like a swerd.

Yon's nae wife's hoose ayont A'an
In the green lift ava
Yon's the cauld lums o' Ben A'an
Wha's smeek is sna.

A' the lang mountains are silent
Alane doth wild Alnack sing.
The hern, the curlew are silent.
Silent a' thing.

A Gossip Silenced: The Thrush and the Eagle

'I keep the machair where
The burnies gae'.
'I keep the mountain, bare
O' a' but snae.'

'I see the rush steikin'
My bonny nest.'
'I see the ray seekin'
The amethyst.'

'I hae a muckle pea
Inside my crap.'
'I hae twa maukins wi'
A grouse on tap.'

'I hear the worms below
The mole's bings.'
'I hear the whisprin' o'
The aungel's wings.'

'I sit wi' merles a' day
An' crack, an' a'.'
'I sit wi' cloods and say
Naethin' ava.'

'I coont the lasses in
The simmer leas.'
'I ken the Lord coontin'
The centuries.'

All Sawles' Eve

I cam tae a yett in the derk hill
As I walked by my lane.
The reid roses were lauchin still
As in lang time gane.

As in lang time gane the reid rowan tree
Hung by the winnock fair,
And a bonny sang gaed thro the lea
In a' the lown air.

In a' the lown air whaur delicht did rove
I kent my ain name.
'My leal bairn, my dear luve,
My bairn come hame.

My bairn come hame, O lat me tak
Your haun' in my nieve.'
Ae step I took. The reidbreist spak
'O tis All Sawles Eve.'

O tis All Sawles' Eve, and didst thou come
Sae kindly aye, my ain?
I saw thro tears the warld toom
Whaur the bird sang his lane.

T. S. Law

Cauld Comfort

The cauld, wat blades o siller birks
      glinkit alang the braid roadway;
thare was a lass wi waefou een
      whuin I left Germanie.

Twaa steps awo an syne I turnt:
      her een were lik a bairn's tae me
Whaa wuidnae help a greetin waen,
      even in Germanie?

A curse o whaa maks wearie weire
      that made sic een lik stanes tae see;
her hingin heid and airms hung doon
      were aa her Germanie.

Miner's Melodie

Black tho yer day, man,
moochie wi gray styfe,
yit ower aa's the broom, green
an yellae, blawin ryfe.

Broom growes green, green,
gallus green an yellae:
hoo aa luves's wi't
thare I follae.

In the caller suimmer morn
ma hert's been lyke tae turn
at kennin erd-an-guidluve
i the yellaein o broom.

Het tho yer nicht, man,
sowlcase sweit doonpoorein,
thonder the caller lochan,
an blythe is the morn.

Staund aye as still as
the eenin lochan rise,
an luve bydes dernin thare,
sauchtlik an wise.

Broom growes green, green,
gallus green an yellae:
hoo aa luve's wi't
thare I follae.

A Hauf-a-Croun o Devolutioun

'Say efter me,' said Rab, as he gied the waen
a hauf-croun muckle's the muin i the middle air,
the siller mellow wi munificence,
'Say, "Thank ye for the next yin, for I'm shair
o this yin."' A wyss man, Rab! An wysslik bairn,
obedient tae dae sae nane daur say
'You dae it nane,' aye mynds this lesson laerit:
whit's no in devolutioun for tae gie
    is independence free.

Ay, Rab, Rab Henderson, ye never thocht
ye'd gie the gowd o independence tae a bairn
wi yer kyndlie siller, but thare's mair ye wrocht
wi yer 'As lang's we can say "Damn the
  damnatiouner",
an "Tae hell wi sovereigntie", we're aa richt.' Here
I paraphrase in periphrasis. See,
yer gowdlik siller has at last fund whaur
this makar is an alchemist indeed
    tae leade yer wurds or leid them!

The hauf-a-croun o devolutioun, Rab,
is never gien wi graciousness, but girns wi
greed in the giein as tho fae some auld crab,
fae some doon-moother. We ken thon soorlik face
fae yon timm back afore her doore grimace
for frichtin bairns was pentit oot o kennin.
Ay, girn she girns, but the mair she girns, the less
lyker is thrittie devolutioun pence
    the croun o independence.

Renewal

Tae destroy us as Scots
hoo lang has it taen?
As lang as it taks
tae mak Scotsmen again.

Och, it's angersome butt,
an gy fashiouslyke ben
sic a weed in the hert
maks cankerous men.

Till the weather weares roon
we maun thole the old pain
as the weerd o the year
drees the wuin an the rain.

Whitlikken a kinna
thing's that for tae hain?
Tae say it's tae ken it.
An that's whit we're saying.

Syne, mair lyker oorsels,
an that wy remain
nae better nor ithers,
but Scotsman again.

The Free Natioun

Preeve you tae me thare's natiounhood,
and I sall preeve thare's nane;
an that's as gyte as your belief
that needs nae pruif tae ken.
And I can preeve ayont belief,
ayont corollarie,
no dae the-noo means never dae
an Scotland never free.

Preeve you tae me thare's natiouns nane,
and I sall preeve thare's yin,
for that belief bydes ben belief
lik marra ben the baen.
And I can preeve ayont belief,
ayont corollarie,
gif we dae noo an dae nae mair,
then Scotland will be free.

Sae let the unthinkable be thocht
lik a fire-flaucht thru the haerns,
that the unsayable be said
lik thunder tae the bairns;
an let the unwurkable be wrocht
lik a spaein ben the speirin,
that the unmakkable be made
lik het and hammered airn;
an let the unseeable be seen
lik the endmaist revelatioun,
then the undaeable will be duin
an Scotland made the natioun.

Douglas Young

For Alasdair

Standan here on a fogg-yirdit stane,
drappan the bricht flees on the broun spate,
I'm thinkan o ye, liggan thonder your lane,
i the het Libyan sand, cauld and quate.
    The spate rins drumlie and broun,
    whummlan aathing doun.

The fowk about Inverness and Auld Aberdeen
aye likeit ye weel, for a wyce and a bonny man.
Ye were gleg at the Greekan o't, and unco keen
at gowf and the lave. Nou deid i the Libyan sand.
    The spate rins drumlie and broun,
    whummlan aathing doun.

Hauldan the Germans awa frae the Suez Canal,
ye dee'd. Suld this be Scotland's pride, or shame?
Siccar it is, your gallant kindly saul
maun lea thou land and tak the laigh road hame.
    The spate rins drumlie and broun,
    whummlan aathing doun.

Whiles

It's nae juist canny, whiles, readan Plato
or onie ither buik
a young man's een see twa ither een
wi a glamarie luik,
sae's he canna tak tent
what auld Plato meant
for thir een and their glent.

An orra thing tae, at Ochrida or onie place
whaur there's a loch
whiles ye see i the faem o the swaw
a shouther or hough,
sae's ye'd aamaist swear
a lass sooms there
i thon gesserant gair.

Ye ken it's by-ordinar, at Sveti Naüm
or in onie skug
whaur fullyerie reeshles, whiles a voice
rouns i your lug
couthy and saft
wi an auntran waft
sae's ye think ye're daft.

Ice-Flumes Owregie their Lades
For Archie Lamont

Gangan my lane amang the caulkstane alps
that glower abune the Oetztal in Tirol
I wan awa heich up amang the scalps
o snawy mountains whaur the wind blew cauld
owre the reoch scarnoch and sparse jenepere,
wi soldanellas smoort aneath the snaw,
and purpie crocus whaur the grund was clear,
rinnan tae fleur in their brief simmer thaw,
and auntran gairs o reid alproses, sweir tae blaw.

And syne I cam up til a braid ice-flume,
spelderan doun frae aff the Wildspitz shouther,
a frozen sea, crustit wi rigid spume,
owredichtit whiles wi sherp and skinklan pouther
frae a licht yowden-drift o snaw or hail,
clortit by avalanche debris, gaigit deep
wi oorie reoch crevasses, whaur the pale
draps o sun-heatit ice ooze doun and dreep
intil the friction-bed, whaur drumlie horrors sleep.

They say ice-flumes maun aa owregie their lades,
and corps o men win out ae day tae licht.
Warsslan remorseless doun reluctant grades
the canny flumes hain their cauld victims ticht.
But no for aye. Thretty or fowrty year
a corse may ligg afore his weirdit tide[1]
and yet keep tryst. Whiles they re-appear
gey carnwath-like the wey the glaciers glide,[2]
whiles an intact young man confronts a crineit bride.[3]

A Lausanne pastor wi 's Greek lexicon[4]
vanished awa amang the Diablerets,
syne eftir twenty year the Zanfleuron
owregya the baith o them til the licht o day,
still at the Greekin o't. Twa Tirolese,[5]
faaen doun a gaig, ate what they had til eat,
scryveit their fowk at hame, and syne at ease
stertit piquet. Baith had the self-same seat
saxteen year eftir, but their game was nae complete.

In Norroway in Seeventeen Ninety Twa[6]
frae fifty year liggin aneath the ice
a herd appeared and syne beguid tae thaw
and gaed about as souple, swack, and wyce
as when he fell frae sicht i thon crevasse.
Sae sall it be wi Scotland. She was free,
throu aa the warld weel kent, a sonsy lass,
whill whummlet in Historie's flume. But sune we'll see
her livan bouk back i the licht. Juist byde a wee.

1. Professor Forbes o St Andrews was the first prophet anent glaciers' deliveries. In 18S8 he foretauld the re-appearance about 1860 o the corps o the 3 spielers lost i the Bossons flume o Mont Blanc in 1820. They were fand in instalments frae 1861 til 1865, 9000 feet frae whaur they had the mishanter, as calculate by Forbes.
2. In 1914 Sydney King disappearit in Mount Cook, Nyou Zealand, and in 1939 cam out three inches thick.
3. At Grindelwald a Mr Webster was engulphit on his hinnymune and 21 year eftir gien back til his bydan widdaw.
4. In 1917 Pastor Schneider gaed aft amang the Diablerets, in 1938 he was dischargit by the Zanfleuron glacier and the fowk kent him by his wordbuik.
5. In 1919 Peter Freuchen and anither chiel fell intil a crevasse in Tirol, and in 1935 were fand perfitly intact, ilk ane haudan a partlie playit haund o cairts.
6. This and the airer curious informations I deriveit frae an article in *Chambers's Journal* for August 1942, by Mr Frank Illingworth.

Gin it had been mair circumstantial my verses wald been mair circumstantial tae.

Sabbath i the Mearns.

The geans are fleuran whyte i the green Howe o the Mearns;
wastlan winds are blawan owre the Mownth's cauld glacks,
whaur the whaups wheep round their nesties amang the fog and ferns;
and the ferm-touns stand gray and lown, ilk wi its yalla stacks.
The kirk is skailan, and the fowk in Sabbath stand o blacks
are doucely haudan hame til their denners wi the bairns,
the young anes daffan and auld neebours haean cracks.

Thon's bien and canty livan for auld-farrant fermer-fowk
wha wark their lives out on the land, the bonnie Laigh o Mearns.
They pleu and harra, saw and reap, clatt neeps and tattie-howk,
and dinna muckle fash theirsels wi ither fowks' concerns.
There's whiles a chyld that's unco wild, but sune the wildest learns—
gin ye're nae a mensefu fermer-chiel ye 's be naething but a gowk,
and the auld weys are siccar, auld and siccar like the sterns.

They werena aye like thon, this auld Albannach race,
whas stanes stand heich upo the Mownth whaur the wild whaup caas.
Focht for libertie wi Wallace, luikit tyrants i the face,
stuid a siege wi leal Ogilvie for Scotland's king and laws,
i the Whigs' Vaut o Dunnottar testifeed for Freedom's cause.
Is there onie Hope to equal the Memories o this place?
The last Yerl Marischal's deid, faan doun his castle waas.

Hielant Colloguy

What can ye shaw me here, i this land o the Scots?
Breckans and maithie yowes and virrless stots,
tuim untentit crofts whaur aathing rots.

Is there nae richt fouth o growth by the side o the loch?
Drains faaen in, parks fuggit and moch,
wuids clortit wi fozy stumps o birk and sauch.

Whatna larachs are thir wi the nettles atour?
The hames o a race lang syne had virr and pouer,
but nou they belang a London capitalist boor.

Whaur are the fowk and the bestial suld be here?
A by-gane Marquis soopit the countrie clear
a yearhunder syne to gie rowm to the grouse and the
deer.

And the drover-lad and the lass wi the milkin-pail?
They're awa wi the cou and the pleu, the yill and the
kail.
Whaur the Sassenach comes the Hielant fowk maun
skail.

But the toun at the heid—it luiks like a place o rank?
Ou ay, wi a schule, twa hotels, three kirks, and a bank,
a Masons' Lodge, and a castle let til a Yank.

Are there nae Scots fowk think lang til their ain track?
An auntran ane i the Gorbals, Detroit, Iraq,
Lagos, or Leeds. But ae day we'll aa win back.

George Campbell Hay

A Ballad in Answer to Servius Sulpicius Rufus

Rufus leans owre the gunnel o his ship,
    skelpin afore the snappin wund frae Thrace,
the shores he conned at schule, astern they slip,
    strawn wi the shards o toons, a stony place;
the thochts he droned at schule fa' intae place—
    'We girn at deein? *Nos homunculi*,
wi Athens doon!' Yet, Servius, by yere grace,
    she lived her day, syne deed, an' sae maun I.

Noo Nineveh is nocht, Argos a name,
    the quays o Carthage, nae man moors thereat,
the lang groond-swell has drawn thaim til its wame;
    sand is the hauld whar the queen Dido grat;
Troy toon an' Tyre hard fates hae trampit flat,
    by tyrant time owrecassen, lo, they lie—
yet, *air a shon sin uile*, for aa that,
    they lived their day, syne deed, an' sae maun I.

Teamhair 'na féar—Tara is grass, they say;
    Durlus o Guaire, o the open door,
nane but the wund gangs guestin there the day;
    Sycharth o Owen the salt rain ootwore.
Emain an' Tailtiu, heard ye these afore?
    MacEwen's Kerry keep, that wance was high,
sin time is thrawn ye may speir lang therefor.
    They lived their day, syne deed, an' sae maun I.

Whar are thy choirs noo, Jedburgh, whar, Scone?
    Iona, whar thy monks? Dunadd, thy kains?
The Lia Fàil lies penned in London toon;
    Canmore, auld hoolets bicker owre his banes.
Duntuilm an' Carnaborg o the MacLeans,
    an' Mingarry, ill-kent, aft-sung they lie;
the Stewarts mak a rant for dandlin weans—
    they lived their day, syne deed, an' sae maun I.

Envoi
Dia (Loard Goad), Prince o the Coal-Black Beard,
tho Aiberdeen an' Glesca toon should lie
twa smowlderin cowps, my sang wad be (I'm feard);
they lived their day, syne deed, an' sae maun I.

Lomsgrios na Tìre
The Destruction of the Land.

In flames o fire, in a reid furnace, in bluidreid licht
passt away Priam's fowk; an' the lowe lept
up in the luft lik a bricht stab in the breist o the
nicht.
Daith wandert, an' wudd in the streets the sword
swept.

Priam's people passt in the flames. Fowk that war fey,
led on a heidlong rodd by a lass wi a bricht face.
Man there isna that hasna heard o their gait astray;
come there wilna that wilna greet for thon brokkin
place.

Here brokk as deep a wave o ruin an' scowred the
shore;
truly, for here the land is harrowt bare o men.
Lowe tae licht the sky there wasna. Wull sorrow gar
sangs be made tae lift oor names tae the licht again?

Fowk that deed lik a fire on the hull, smowldert oot?
Left in a lee by the man that made it, an' gaed his
way;
deein black in the driftin rain at a rock's foot,
ashes steerd by the hand o the wund, cauld an' grey.

Nae sign tae see that heat an' the quick flame war
there;
an' no' a sign in the herriet straths, that we should
ken
hoo life, a balefire, bleezed on the ridges, reid an' fair,
hoo sword an' the sang there lept in the hand an' the
mooth o men.

An' us the lave—tae gang lik ghaists in a strange land?
Stumblin steps an' unsiccar gait in oor awn glens;
shuffle lik coos in ways that are waa'd on either hand;
keep tae the causey, no' a fowk, but a flock o men.

'Keppoch is wasteit'—weel we may sing it. The ebb tide
has bared oor beach lik a besom. This is oor tune o
  tunes,
the daft bleatin o grey sheep in tumblet toons,
an' the shepherd caain his dogs heich on the hullside.

Oor Jock

'It's orra, man, the fowk I ken
  wha seem tae gang on burnan grund,
aye breengean oot an' lowpan ben
  lik paper men in a breeze o wund;
  thrang aye, an' maistly thrawn,
  ne'er contentit wi their awn;
rinnan aa week, dry days an' drookan,
  lik the bylie's echt-day clock,
wi ne'er a pause for thocht or lookan.
  'They're gyte, the bodies,' said oor Jock.
  'Blint wi sweit an' wudd on winnan,
    shair as daith they'll dee o pechan.
  Life's nae lang eneuch for rinnan—
    better slaw than aye forfochen,'
      said oor Jock.

'It's orra, man, hoo mony fowk
  aye snifter owre what's feenisht fair,
the milk they tint, the crocks they brokk
  echteen simmers syne or mair;
  greetan aye, girnan aye,
  derknan the day wi cloods blawn bye.
Maenan owre the meat they're stechan
  lik a wheen o craikan hens,
sweir an' scunnert wi their brochan,
  het or cauld, lik ailan weans;
lookan ahint them aye an' seichan,
  feart afore o what—wha kens?

They're daft, the gowks, wi aa their bleatan
o wandert sheep. They'll dee o carean.
Life's nae lang eneuch for greetan
better lauchs nor tears for sharean,
better bricht nor black for weiran,'
said oor Jock.

Scots Arcadia

Walkan heich an' gazean far—
listenan tae the wund in the rashes—
sun an' shadow, clood an' clear
shift athwart the hillsides dappled.

Listenan tae the burns gang doon—
listenan tae the wund in the rashes—
watchan Autumn doon the braes,
a spate o gowd amang the bracken.

Watch him rinn alang the glen—
listenan tae the wund in the rashes—
edge the bramble leaves wi bluid,
kendle fire on rowan branches.

Glisteran rocks wi sun an' rain—
listenan tae the wund in the rashes—
the heather bields the broon muirhen,
the wae curlew cries lanesome sadness.

Birk an' hazel, rowan reid—
listenan tae the wund in the rashes—
bracken, heather; sae 'tis made,
oor ain Arcadia, wild an' tranquil.

Above Seanlagan

Tìr Thàirngire
The Land of Promise

I've heard o a land that lies westward. Weel it's set
in the lee o aa the wunds that are but the saft Sooth.
There isna hurtin in't or the sting o a sherp mooth,
there isna woundin or greetin, they canna grieve or
fret.

Shinin evar in sun the slopes, bricht the sann;
singin evar an' laughter. They ken nae keen
the people thonder. The Lord's hand lies atween
that fowk an' daith, that fowk an' Adam's clan.

Thon was the land whar Brendan came; but his
coorach's track
has fadeit for aye on the sea's face. Folla ye may,
but ye'll folla no more than yere awn wish an' the
wund's way;
an' the wish o man is wake lik a rash. Ye'll but sleep
in the wrack.

Summar an' Wunter, a weary while, ye'll run on yere
rodd,
wi many's the dreich wundward bate, an' yere eyes
aheid
seekin thon shore. On the sea's groond ye wull herbar
deid,
for Brendan's land is hidden from men by the hand o
God.

Ye wull sail yere boat by flann an' gale while her sides
last,
an' yere eyes onstarein ayont the bows grow ridd an'
fey.
But nevar thon coast wull leap lik a flame thro haar or
spray
an' the end o't, a scraich. The big sea wull grup ye
fast.

Ye wull druft wi the tides as they shuft an' swing by
the side o the land,
an' quate the fush wull glim at ye oot o cauld eyes,
an' there ye wull rock in the tangle an' turn, till the
deid rise,
an' the hunners that socht a shore that seeker nevar
fand.

Solan

Hing there, solan,
Lik fate up astern;
the watch that doesna wander.
Swing there, solan.
Slip across the wind and turn
in a dippin' arc. Hover up thonder.
The height o a man and a man's grip in yere two wings
there,
tipped wi black and set wi strength, the stievest in air.

Hing there, solan.
Swing there, solan.
Linger at yere ease
in the face o a teerin' breeze, solan.
The eyes in thon heid,
what dim hints can they read, solan,
beneath the flurry o white, the twist o a squall on the
watter?
Is it the sea puckered wi syle, a stray, shallow scatter
o a broken shoal, torn asunder by nets in the night?
Or a gray, green, derk shadda that blunts the surface
light,
derkenin' the hue o the loch for half a mile or more,
dullin its waverin', flauchterin' glints, five faddoms
doon oot there;
along the lip o the deep channel where the easy eddies
are,
forgein' aheid through the slack edge o the spring-tide
scour,
oot in the run o Carraig nam Ban—
is thon what ye've seen again, solan?

Between Maol Dubh and Carraig nam Ban, half-daft,
half-wild,
There are white sheep skelterin' doon oor green field;
A huddle o a brekkin' sea and a rough rant o wind
Hoarse over the low plaint o the oot-runnin' tide,
The deep, hollow farewell o the ebb to the shore o
either side,
The oot-dreg, the sooth-dreg over the feet o the land.
Bright green, derk green, then liftin' intie light,
streakum-stroakum here and there wi wee scuds o
white,
the loch's below ye, and, secret in't, thon gray shadda
hides,
the solid back o a broad shoal wi its breist against the
tide's.

Hing there, solan.
Swing there, solan.
Glance doon, solan;
A look lik a lance, solan.
Cant doon, solan, and let yerself drive.

Sydney Goodsir Smith

In Gránada, in Gránada
(Llanto por Federico Garcia Lorca)

In Gránada, in Gránada,
They dumbed the mou o a makar,
In Gránada, in Gránada,
They strak doun Garcia Lorca.

Ye bard o the tinks, o gipsy Spain,
Frae Gránada, frae Gránada,
Aa the gangrel folk that scorn chains—
O wae for Garcia Lorca!

At dawin fornent a sunwhite waa
In Gránada, in Gránada,
The rifles reik, O see him faa,
Daith rins at the tyrant's order.

But they sall pey for that fell deed,
In Gránada, in Gránada,
Franco and his men o bluid,
Their fingers reid wi murder.

Mair nor juist ane enemie
Was killt yon morn in Gránada,
For daith is neer a bundarie
Til the voice o a folk was Lorca.

Ay, he was Spain, anither Burns,
In Gránada, in Gránada,
O wae for thae when the tide turns
That strak doun Garcia Lorca!

And wae for thae in ilka land,
Or Galloway or Gránada,
That thirl the libertie o man
For bards nor daith are stranger.

And aye their leid is Freedom,
In Galloway or Gránada,
Ay, greit for the tinkler's martyrdom
And the white dumb mou o a makar.

Ay, greit for Lorca, bard o the waifs,
Saw birth and daith in Gránada,
Wae for the sang was stanched yon day
While the sand ran reid wi clangor.

But sing o the victorie was gained,
In Gránada, in Gránada ———!
For aye your bluid sall dirl throu Spain,
Federico Garcia Lorca!

Prolegomenon
The Deevil's Waltz

Rin an rout, rin an rout,
Mahoun gars us birl about,
He skirls his pipes, he stamps his heel
The globe's gane gyte in a haliket reel.

There, the statesman's silken cheats,
Here, the bairnless mither greits,
There, a tyrant turns the screw,
Here, twa luvers' broken vows.

Enemies out, enemies in,
Truth a hure wi the pox gane blinn,
Nou luvers' lips deny luve's name
An get for breid a chuckie-stane,

We kenna hert, we kenna heid,
The deevil's thirled baith quick an deid,
Jehovah snores, and Christ himsel
Lowps in the airms o Jezebel.

The sweit that rins frae his thorned brou
Is black as the staunan teats o his cou
In the waltz o tears, an daith, an lies,
Juliet's fyled wi harlotries.

O luve itsel at Hornie's lauch
Skeers lik a caunel i the draucht,
The dance is on, the waltz o hell,
The wund frae its fleean skirts is snell.

It whups black storm frae lochan's calm,
Sets banshees in the house o dwaum,
Gars black bluid spate the hert o me
—An watters guid-sirs' barley bree!

A few damned feckless fanatics
Wad halt the borneheid dance o Styx,
Their cry o truth the whirlwind reaps,
For pity's deid, and mercy sleeps.

Orpheus alane dow sauve frae deid
His ravished Bride gin but she'd heed—
Ay, truth an luve like Albyn's life
Hing wi a threid, kissed be a knife.

Ilk derkenin owre some huddered toun
The pipes an fiddles screich an boom,
The cauldron's steered by Maestro Nick
Wi a sanct's shin-bane for parritch-stick.

He lauchs his lauch, the angels greit
Wi joy as they dine on carrion meat;
Ablow, bumbazed, dumfounered cods,
We seek the starns in dubs an bogs.

Oor ingyne's deaved, oor mous are shut,
Oor saul contract like a runkled nut,
Een cannae see the trees for the wuid
An hert is cauld for want o bluid.

For want o luve we live on hate,
For want o Heven praise the State,
For want o richts we worship rules,
For want o gods the glibbest fules.

Obey, Obey; ye maunna spier!
(Libertie's disjaskit lear!)
While Cloutie pipes it's crime tae think,
—It's taxed e'en higher nor the drink!

O, rin an rout, we birl about,
Tae the rhythm o the Deil's jack-boot,
Black as auld widdie-fruit, Mahoun
Bestrides a kenless mappamound.

King and Queen o the Fowr Airts
A Ballant

O, King and Queen o the fowr airts
My luve and I yon day,
They sang o us in Tara Haas,
They carolled in Cathay.

For us the mirkie luift was gowd,
The causie gowd beneath,
Emerants drapt frae ilka tree
And siller ran the Water o Leith.

The Dean Brig lowpt a Hieland Fling
Our regal whim to gratifie,
Schir Wattie sclimmed his steeple's tap
The better to view sic majestie.

Och, we were the sun and the sickle mune,
The wee speugs triumphed round our wey,
Sanct Giles cast doun his muckle croun
And aa the damned made holiday.

Tamburlane was a shilpiskate,
Ozymandias a parvenu,
Our Empire o the Embro streets
Owrepassed the dwaums o Xanadu.

But fient the pleasure-dome we fand,
Waif peacocks mang the laicher breeds,
We ained the birlan mapamound
—But damn the neuk to lay our heids.

The birds hae nests, the tods dens,
The baillie skouks aneath his stane,
But we, the minions o the race,
We hadna howff and we hadna hame.

Ay, King and Queen o the fowr airts,
Our crounit heids abune the cloud,
Our bed yon nicht was the munelicht gress
—I wadna changed for Holyrood!

The Grace of God and the Meth-Drinker

There ye gang, ye daft
And doitit dotterel, ye saft
Crazed outland skalrag saul
In your bits and ends o winnockie duds
Your fyled and fozie-fousome clouts
As fou 's a fish, crackt and craftie-drunk
Wi bleerit reid-rimmed
Ee and slaveran crozie mou
Dwaiblan owre the causie like a ship
Storm-toss't i' the Bay of Biscay O
At-sea indeed and hauf-seas-owre
Up-til-the-thrapple's-pap
Or up-til-the-crosstrees-sunk—
    Wha kens? Wha racks?
Hidderie-hetterie stouteran in a dozie dwaum
O' ramsh reid-biddie—Christ!
    The stink
O' jake ahint him, a mephitic
Rouk o miserie, like some unco exotic

Perfume o the Orient no juist sae easilie tholit
By the bleak barbarians o the Wast
But subtil, acrid, jaggan the nebstrous
Wi 'n owrehailan ugsome guff, maist delicat,
Like in scent til the streel o a randie gib . . .
    O-hone-a-ree!

His toothless gums, his lips, bricht cramasie
A schere-bricht slash o bluid
A schene like the leaman gleid o rubies
Throu the gray-white stibble
O' his blank unrazit chafts, a hangman's
Heid, droolie wi gob, the bricht een
Sichtless, cannie, blythe, and slee—
                                        Unkennan.

Ay,
    Puir gangrel!
                    There
—But for the undeemous glorie and grace
O' a mercifu omnipotent majestic God
Superne eterne and sceptred in the firmament
Whartil the praises o the leal rise
Like incense aye about Your throne,
Ayebydan, thochtless, and eternallie hauf-drunk
Wi nectar, Athole-brose, ambrosia—nae jake for
    You—
        God there!—
But for the 'bunesaid unsocht grace, unprayed-for,
Undeserved
    Gangs,
        Unregenerate,
                        Me.

A Bairn Seick

O wae the wind weaves wae
Its wearie wey it wanders throu the autumn nicht;
Frae far, thort continents and seas its traivellin,
    Laden wi a generation's greit—

        The Third Plenarie Convene o UNO
        Has skailit for the autumn recess . . .

Greitan 'Aie! Aie!'
    It greits in the winnock's peerie neuks
        Throu the thin streets, the cauld treen
    Like a wraith seekan rest. Sleep and rest.
        And sleep.

        The Fowrth Plenarie Convene for control
        O' the Atom Boomb has been postposuit
        Due til an epidemic, amang the delegates,
        O' thrush . . .

    But rest there's nane
    Nor will be or my wean
    Is grown til womanheid . . .
    And then . . . ?

Sleep, sleep my seick Katrine,
yout mither's newlie-open'd bud,
Het flouer and her fruct.
Sleep my lassie. Sleep.
    Until she's grown til woman. Till . . .

        The Fift Plenarie Convene of God-kens-what
        Has nou been summonit or dissolvit
        Or suicidit or forgot
            —I canna keep up
            Wi the news thir days.

Like a wraith the wae wind owre the sleepan toun
Its coronach o gray October croons
Wearie wearie weavan its wearie wey
    Until at lenth

It croodles doun til sleep at last
By the white bedside o my ailan wean

The Saxt etc., etc., etc. . . .

Wae the wind, wae it maens
Lulloo . . . Lullay . . .
We canna sleep.

Dido

He upped his anchors and a wind
Frae the deep south gousteran blawed out—
The swaulit sails o' gowden silk,
The reid, the black, the purpie sails and white;
O' aa the graithit ships o' great fleet—
'. . . And I, O fause Ænee, left wi a hert no mine,
The hert I tint til ye lang syne
Efter the great chase and the storm
That skail't the galand hunt
And us in dern sent secret and our lane
Storm-driven til the airms o' luve . . .
O, blackest day that dawed for me,
O, trueless luve, ye messan fause Ænee!'

On the siller shore she stude, a simmer sea,
The lippers curdlan cream at her sandalled feet,
The sun like a titan's gong raired i' the emperean,
Lowed on the gowden sail o' the furdest ship of aa
Nou hauf out athort the bay, onheidan the fleean fleet
Like an emperor erne abune his reivan kin—
The gowden sheet like a sheet o' hammered, new
mined ore
Bare aff the fause Ænee wi Dido's leal hert . . .
And never aince he lookt ahint,
For fear, and traitorie, and shame at length.

. . . The wind that drave his ships, rank on rank o'
them,
Sun on the flichteran-fedderie oars, the faem,
Spindrift, spume, landbrist and speed,

Sea-gaean wolves, a pack, wild geese owre the emerant
spase
Their pennands bricht like tongues i' the wind, swan-
wings spreid,
The greinan outraxed craigs o' swans
Drinkan the wind for Italie—
Æneas' fleet
Speedan awa frae Carthagie and Afric's burnan queen
Wi a lassie's broken hert and een owre-rin wi greit . . .

And the like wind that took her fause man aff
Streamed throu her sable hair outblawn
Schere-black as Ethiop nicht, wild her raven glorie
Streamed i' the wind, the speed-flung mane
O' a mear o' Arabie hinnyan i' the race
Owre siller sand—bluid cast til the wrack for libertie!
The unpent cloud o' midnicht streamed in the dry
simoon
Sheenan like jet in sol's orsplendant nune.

The queen, fair Dido, stude
And saw the ships far out on the spase,
At the heid o' yon fause fleet the fause and gowden
sail
O' her fause luve Ænee.

'O, black perjurit hert
Sae brawlie dicht wi claith-o'-gowd,
That leas me nou my lane that isna me
For he bears aff my hert and aa that Dido was, leas
But a cokkil, a tuim husk that made a Trojan gallantrie,
Fause black Æneas that I natheless loe!'

Far out on the Mediterranie blue,
Blue as the lift abune and the sea-blue een of
water-maids,
The fleet becomes a toy, the ships as wee as laddies'
boats . . .
Awa, awa, and nou but mirlie specks
Upo the farrest deepest blue, the haaf, til ae
Bricht leam alane is left to kep the ee
—The gowd-bricht sail o' Dido's fause Ænee

Gane for aatime . . . wi the hert
O' Carthage' queen a stane in Dido's breist.

She grat. And greitan turned, her wemen
Round her speakless, aa the midnicht glorie o' her
hair
About her face hung doun like wedow's weeds;
Back til the tuim palace, tuim the great haas
Whar Æneas walked, whar Æneas drank and leuch,
Whar Æneas tellt his silken leman's talk,
Whar Æneas took her bodie and her hert,
Took aa her luve and gied back bonnie aiths and
vows,
Tuim, tae, the chaumer and the bed o' luve,
Tuim Dido's hert of aa but wanhope's plenishings.

Yon nicht the luift owre Carthage bleezed
And Dian's siller disc was dim
As Dido and her palace burned—
The orange, scarlet, gowden lowes
Her ae wild protest til the centuries.

Queen Dido burned and burnan tashed
Æneas' name for aye wi scelartrie.

Edward Boyd

The Niddity-Noddin' Chesbow

The niddity-noddin' chesbow,
Reid as the dayligaun sun,
Could clype an it opened its mim mou
The wey it was a' begun.

For when he had his fill o' me
His luve gaed cauld an' soor;
For when he had his will o' me
He lauch'd an' ca'd me hoor.

The blitterin' blatterin' baukiebird,
The nicht-hoolit's eldritch ee,
An' a taid that was black as the imp o' hell
The lave o' the ploy did see.

For oot o' a caundle ah shapit him sma'
Wi hauns that blin' hate had gien skeel,
Wi' muckle lang preens ah brodit him a',
His heed an' his hert an' his heel.

Ah stood at the daith-bed an' grat lak a bride,
Ootside ah could hear the mort bell,
But naebody kent ah wis lauchin' inside,
Naebody kent but masel'.

Maurice Lindsay

At the Cowal Games, Dunoon

Haveran, bletheran, yatteran folk
    thrang the streets roun the pier:
ilka Jeannie lays haud o her Jock
    an bangs her way thru the steer.

There's tartan tammies an muckle blads
    tae shaw the garb o the clans:
there's thistl't lassies an kiltit lads
    wi the emblems o fitba fans.

The whussle an jostle an rankringan din,
    the stour an the heat o the day
're suddentlie naethin, for aa are kin
    whan the thoosand pipers play.

As the skirlan soun drifts up tae the hills
    an spreids owre the skinklan sea,
there's nae ae breist but gaes faster an fills
    wi whit Scotland yince culd be.

Yet afore the echo has cool't i the bluid,
    there's blawan o gee-gaws again,
an Scotland's back tae her doited mood
    o snicheran, sneet, haulf-men!

On Hearin a Merle Singan
(Arbroath Day, April 6th, 1946)

Your carolan's blythe, bricht bird i the blackthorn bou,
this braw Voar morn, wi trill eftir spirlan trill,
tho you only ken the warld as it liggs the nou,
an nocht but a glisk concerns your chatteran bill.

You feel the warm sun kissan your sparklan breist,
sea-green it glints as you dirl your feathered thrapple,
naithin mindit o things afore or neist
wi whilk, on this day o days, I try tae grapple.

Tae you, the Simmer's come, sin the blue-gers glitters,
an spinnan-Maggies stoiter aboot the lawn.
It micht be sae, sin for days there's no been a spitter
o rain tae sloke the drouth o the yird's dry pawn.

Yet, fegs, the sun's made you luik gey gilliegawky!
Gin ye only kennt, there's snaw i the heich hills yet.
Ye're no faur-seean, bird, lik the leathern baukie
wha although he's blin's nae perturbed by the cauld
or the het.

As I hear you singan, merle, aa the thwartit flames
o my luve for Scotland loup i my waefu hert,
an six-hunnert-years-auld bluid reenges roun my veins
till my stangit heid's agley wi an orra smert . . .

But maist folk in Scotland noo hae the baukie's een,
caran for nocht that isnae smoorit in derk:
an tho they wad praise your sang for its happy shein,
at the thocht o the snaw i the hills their sauls aye lerk!

Milk

Wi' in a laich, gray byre,
    Bieldit frae simmer's glare,
Ae yalla streak o sunshine
    Cools on the cobbl't flair.

The baigie-cheeked fairmer
    Tethers his shauchlan beasts,
Drappan saft, frienly aiths,
    On ilka yin that wreists.

Syne cooriean on a stule,
    The mither o his weans
Urges a warmth o milk awa,
    Half-sensan in her veins

The endless flow o life,
    The eftir-peace o birth,
Aa sweet fertility,
    The fruits o the guid yirth.

But watchan i the shaddaws,
    Mindit o bairnless sheets
An milk asleep wi' in her breists,
    Anither woman greits!

Tom Scott

Orpheus

Ye think thon wes the end?
Yon meetin in the wuids
When Thracian Orpheus heard the drum, the cries,
The whud o the bacchantes' thrangan feet
And, seik in saul,
Mad to be jyned for aye to his Eurydikee,
Strung his harp
And gaed to meet them wi a sang.
Ye think thon wes the end?

Na. Eftir the thrang breeled on, red
Fingert, bluidie-mawed, the riven limbs
Quiveran aye amang the mairtyred gress,
There wes a lull
And throu it syne a roun
And syne as muckle's a moan
And syne a voice,
Yon voice o his
That quietit the forest and its fowk,
That reconcilit lion and lamb,
Ordert the rain,
Spoke frae the grund
And threept in the greitan tree—
'Euridikee! Euridikee!'

And at the name
A ferlie thing wes duin.
Thir broken bits o bodie, bits o bane,
Brisket, gash, airm and droukit hair
Cam thegither as gin some will
Mair nor the merely real
Had wrocht on them.
And on yon slauchtert grund was formed
Orpheus anew,
Orpheus the singer, Orpheus the makar,
Orpheus cleansed o the auld despair.
And by the halie tree
In the leaman licht o the wuid,

Squired by a houlet, a hawk and a doo,
Wes his Euridikee.

They say he made a new sang,
A nobler nor the auld,
And sings it aye in the great haa o the warld.

They say it will nevir end.

Ceòl Mòr

Sound ti me ance mair thon noble music
    That sings ti live fowk o the daed,
Tellin o oor ancient weys and people
    Dirlin awa the silent mirk.
Let us hear again thon benwart glory
    That burns throu time ti daethless love,
Steirin thocht o auld, heroic livin
    In this dow, disjaskit land.

The live sing o the daed,
The auld people,
Dirl awa the silent mirk
Wi benwart glory
That burns wi daethless love
(O dow disjaskit land!)
Throu the music.

Love o this noble people,
Land that fechts the mirk,
(People o heichest glory,
Daed ti less nor love)
Music for the livin,
Glory ti this land
(Mirk withoot its music)
Livin, is brocht frae the daed.

Sall the bairns o the goddess that herried the mirk
    Gie owre their battles for glory
That the born-o-the-licht maun be fechtin for love,
    Scourin the lamps o the livin?

The perennial gift ti the warld frae oor land—
  Noble in thocht as in music—
Is thus to be clearin the live o the daed:
  Keepin the paths for the people.

Suirly it's no to be endit, this glory,
Nor the croun to be kaaed aff their majesties, Love?
Gif it be sae, syne Christ succour the livin,
Or we'se tine ti the sea-maw and wildcat this land.
'Never, sae lang as I sound', says the music,
'Sall the faith o oor forebears be tint ti the daed:
No tho the heirskip sould pass frae the people,
And the licht be owreborne for a while by the mirk.'

O licht again the leaman lowe o love,
  Licht the lave, the livin,
Them that are lessit the tentin o this land
  Made—and murned—this music.
Deil tak aa defeat that dang the daed,
  Aa past pesters this people.
May aa man's makin micht agin the mirk
  Grace again get, glory.

Tell us, ay, our grief aye gravels the livin,
  Hou sorrow hurts and hairms this land
Torn atween belief sits sair, and music
  That micht gar dance the michty daed.
Let nae tears murn owre this noble people
  That ken nae compromise wi mirk.
God, thir years burn on wi ungrieved glory
  Canna caa for aucht but love.

O sound again the pain that reft this land,
  Sing the faith owre daeth that is this music.
Let tell the bell leaves us bereft o daed,
  Praise the ways, the lays, that wes this people.
Let sicht abet the licht to beat the mirk:
  Girnin gat nae bairn, nae grain ti glory,
And nicht can get nae sicht to better love,
  Silence licht nae oil mair brichts the livin.

Hear this music
Speak o the daed
Talk o the people
Edged on the mirk.
Can sic glory,
Courage, love
Pass frae the livin
In ony land?

Fergus

I look back doun my centuries o life
    To see the freendly grup
o Pict and Scot when Kenneth and his wife
    Plattit this kingrik up,
And whaur wes desart, gart the gerss grouw green.
    And on Iona's isle
The white monks o Columcill I've seen
    And the santit bard himsel.

Sae mony lives I'd lived and dee'd afore
    Big-heidit Calum brocht
His Celtic-hatan Margaret ti the door
    o the ae hoose we'd wrocht:
Heard Deirdre murn her love, to be unduin
    On Erin's traitor shore:
Seen the saumon that Mungo claucht, like Finn,
    The plaid MacLir ance wore.

Alexander deid, oor ship wreckt on yon sand,
    The rule o bairns begun . . .
Wallace an ae-man fortress, fully manned . . .
    Bruce the embattled sun . . .
Strang airms bluid-red on mony a groanan field . . .
    Berwick a butcherie . . .
Mony sic broken and tormentit bield
    There kyths afore my ee.

Upon sic anvils Edward hammered oot
    Oor nationhood and saul,
Seasoned the stentit bow till it could shoot
    Doun meteors as they faa

And gart oor noble dogs come inti heel
    Ahent King Bruce's tairge,
Temperan Scottish spines ti swippert steel
    In his smiddy's brim forge.

A prime king like a rat was stang ti daeth
    And coorsely wes avenged:
His heir by his burst cannon tint his braeth
    And had his throne tae singed.
His again a priest gied his quietus
    By Sauchieburn's field:
The fowrth saw Flodden utterly defeat us:
    The fifth a girl's birth killed.

Hou mony things throu aa thae years I hae been,
    Hou mony trades I kent!
As scholar, merchant, sodger and marine
    I becam acquent
Wi the haill o Europe, say frae Unst ti Kerch,
    Lisbon ti Kazan,
For syne we were as het-fuit on the mairch
    As the hounds o Mananan.

Wi Henrysoun I beikit by the fire
    On dowie winter nichts
And watched the gentry dansan, wi Dunbar,
    Under the palace lichts.
I stilpt aboard the Caravel wi Wood,
    Saw Oslo and Belgrade,
And murned wi Scotland in her sairest mood
    Owre the Flodden daed.

And in sic style oor Reformation cam
    As weed that chokes the grain.
The unicorn wes chased by a hell-black ram,
    The garth made a pen.
Hae I no seen frae Solway Firth ti Wick
    The white wick bewtie brunt?
It wes oor saul they seared at ilka stake,
    That reekt frae ilka lunt.

O white Sant Aundraes, bien inben your bay,
I've seen them stane by stane
Tak doun your braw cathedral on the brae
And leave it bare as bane.
On mony a muir and hag I've seen douce men
Huntit like the tod,
And murder turn the land a bluid-soaked fen
To spread the love o God.

They made his Day a rookery o kirks,
His poupit nests o craws
And lowsed on us a herd o lowan stirks
Wi iron hoofs and jaws
To trample owre the green and bairgean fields
Makan them bogs o sharn,
Imprisonan the fowk inben their bields
And reivan ilka barn.

They kaaed doun Woman frae the throne and skies
And even frae the chair,
Hapt her bewtie in a dow disguise
And sat her on the fluir.
Degradan her, they undermined theirsels
Wi casuistic laws
And brutalised their future in the schuils
Wi never-idle taws.

Syne a prince cam sailan frae the East
To claim a perjured croun
And rackt the Sudron wi a nordren blast
Afore his hoose gaed doun.
But he tae by the nobles wes betrayed
In sicht o Victorie:
Culloden smoored for aye a broken blade
And sent him owre the sea.

The lave's suin telt. Wi Mungo Park I've seen
The lordly Niger flow;
Wi Murray, Bruce, Mackenzie, I hae been
In lands o sun and snaw.
Ither fires nor Beltane's lit oor hills
When Danu's bairns were cleared

And ither lands hae reaped the Celtic skills
Oor Sudron neibours feared.

I ken the iron forests on the Clyde,
The bothy bields o Burns;
I've seen the reikan chimneys come to bide,
The deer amang the ferns;
I've read the secret name o Knox's god—
The gowd cauf, Gettin-on,
And ranged Newfoundland banks to fish for cod;
Strippit saumon o their spawn.

In laboratories I hae wrocht aa nicht
Like Vulcan at his forge,
To bring oor race mair comfort and licht,
To fecht ilk human scourge.
The warld weill kens hou guid my labours were,
Hou gret my inventions,
But—the name and race o the labourer
The warld sendil mentions.

Hou sall aa the fowk I've been e'er meet
And bide in ae wee hoose?
Knox wi Burns and Mary, Wishart and Beaton
Aa be snod and crouse?
Campbell and MacDonald be guid feirs,
The Bruce sup wi Comyn?
By God, I dout afore sic love appears
Nae man sall kiss a woman!

But ach, auld Fergus nou exaggerates—
Thir times are aa gane bye.
Scotland's need nou even conciliates
The warbles and the kye.
O sall this hoose be tenantit again,
And echo cries o bairns?
Sall we heal up the auld wounds and their pain,
Bigg mansions oot o cairns?

Brand the Builder

On winter days, aboot the gloamin hour,
When the nock on the college touer
Is chappan lowsin-time,
And ilka mason packs his mell and tools awa
Under his banker, and bien forenenst the waa
The labourer haps the lave o the lime
Wi soppan sacks, to keep it frae a frost, or faa
O suddent snaw
Duran the nicht;
When scrawnie craws flap in the shell-green licht
Towards yon bane-bare rickle o trees
That heeze
Up on the knowe abuin the toun,
And the red goun
Is happan mony a student frae the snell nor'easter,
Malcolm Brand, the maister,
Seean the last hand through the yett
Afore he bars and padlocks it,
Taks yae look aroond his stourie yaird
Whaur chunks o stane are liggin
Like the ruins o some auld-farrant biggin;
Picks a skelf oot o his baerd,
Scliffs his tacketty buits, and syne
Clunters hamelins doun the wyn'.

Doun by the sea
Murns the white swaw owre the wrack ayebydanlie.

The main street echoes back his fuitfaas
Frae its waas
Whaur owre the kerb and causeys, yellow licht
Presses back the mirk nicht
As shop fronts flude the pavin-stanes in places
Like the pentit faces whures pit on, or actresses,
To please their different customers.

Aye the nordren nicht, cauld as rumour
Taks command,
Chills the toun wi his militarie humour,
And plots his map o starns wi felloun hand.

Alang the shore
The greinan white sea-stallions champ and snore.

Stoopin through the anvil pend
Gaes Brand,
And owre the coort wi the twa-three partan-creels,
The birss air fu
O the smell o the sea, and fish, and meltit glue;
Draws up at his door, and syne
Hawkan his craig afore he gangs in ben,
Gies a bit scart at the grater wi his heels.

The kail-pat on the hob is hotteran fu
Wi the usual hash o Irish stew,
And by the grate, a red-haired beauty frettit thin,
His wife is kaain a spurtle roond.
He swaps his buits for his baffies but a soond.

The twa-three bairns ken to mak nae din
When faither's in,
And sit on creepies roond aboot.
Brand gies a muckle yawn
And howks his paper oot.

Tither side the fire
The kettle hums and mews like a telephone wire.

> 'Lord, for what we are about to receive
> Help us to be truly thankful—Aimen;
> Woman ye've pit ingans in't again!'
> 'Gae wa, ye coorse auld hypocrite,
> Thank the Lord for your meat syne grue at it!'

Wi chowks drawn ticht in a speakless sconner
He glowers on her,
Syne on the quate and strecht-faced bairns:
Faulds his paper doun aside his eatin-airns
And, til the loud tick-tockin o the nock
Sups, and reads wi nae other word nor look.

The warld ootside
Like a lug-held seashell, sings wi the rinnan tide.

The supper owre, Brand redds up for the nicht,
Aiblins there's a schedule for to price
Or somethin nice.
On at the picters—secont hoose—
Or some poleetical meetin wants his licht,
Or aiblins, wi him t-total aa his life
And no able to seek a pub for relief frae the wife,
Daunders oot the West Sands 'on the loose'.
Whitever tis,
The waater slorps frae his elbucks as he synds his
  phiz.

And this is aa the life he kens there is.

Villanelle De Noël

The robin owre aa birds is blest
At this time o the year, Nowel:
The bluid o Christ is on his breast.

Frae Sicily ti Hammerfest
The bairns relate the sely tale:
The robin owre aa birds is blest,

For on Calvarie he tried to wrest
Frae Yeshu's palm the cruel nail:
The bluid o Christ is on his breast.

Sensyne he's been Yuill's dearest guest,
Nae ither sae welcom as himsel:
The robin owre aa birds is blest.

He wears the Yuilltide like a vest
And his sang's the peal o a ferlie bell:
The bluid o Christ is on his breast.

Nae starred and medalled hero's chest
Can eer wi greater merit swell:
The robin owre aa birds is blest.
The bluid o Christ is on his breast.

La Condition Humaine

When ye think o this unkent Realitie,
This Universe in aa its mysterie,
The Earth's but a grain o sand in an endless shore
And a candle in the mirk is aa man's lore.

The yowl o a wolf in the vast Siberian nicht,
A blin bairn's yammerin for the licht,
A beggar's chap on a tuim mansion's door,
Or a candle in the mirk, is aa man's lore.

Your firmest Faith is but a dwaiblie notion,
A raft adrift upon a meisureless ocean
That's never kent a sail nor an Argo's oar.
A candle in the mirk is aa man's lore.

Whit's aa your Art but a vaigin in the mirk
By the saul launcht oot frae its langootworn kirk
And batterit by the typhoon's rage and roar?
A candle in the mirk is aa man's lore.

Aa your Science, aa your Philosophie
Are smoorit deep in faddomless mysterie
And aye will be, as aye they've been afore.
A candle in the mirk is aa man's lore.

Look whaur ye will, the wycest and the best
While here on Earth as Nature's fleetin guest
Kent that, houeer his thocht aspire and soar,
A candle in the mirk wes aa his lore.

Sae Lao-tse saw in water the livin force,
Shapeless yet shapin, rules the cosmic course,
And in Science saw but a seductive whore.
A candle in the mirk he kent oor lore.

Yon Thracian singer, Orpheus, left forlane,
Cried for his buried nymph to rise again
But his yae owrecome and answer wes *no more*;
A candle in the mirk his bardic lore.

Even Siddharta, the 'enlightened One',
Kent that, compared wi yon supernal sun
Whase beams throu the entire Creation pour,
A candle in the mirk wes aa his lore.

Sagest amang them aa, great Sokrates
Claimed to ken but naething aa his days
Yet he wes named the wycest Greek of yore.
A candle in the mirk he deemed his lore.

His giant disciple, Plato, wad confess
The same, or else that he kent even less,
Tho the wecht o the real (the ideal) world he bore.
A candle in the mirk wes aa his lore.

And Rabbi Yeshua, for God mistaken,
Found himsel on the cross by God forsaken
And died despairin, in anguish and in gore,
A candle in the mirk his Essene lore.

Mahomet, when his hour cam, couered to hear
The angel's words, and hid his face in fear
Kennin that, like his ee in the robes he wore,
A candle in the mirk wes aa his lore.

Your gurus find their Universal Way
No in ony science kent the-day
But hidden in the dern lotus' core.
A candle in the mirk they ken oor lore.

The mystic seekin union wi the Haill
Nae better deems the broker's manic yell
Nor the opium-addict's world-forfochen snore.
A candle in the mirk he rates oor lore.

Einstein, Whitehead, Russell and mony anither
Kent but little mair nor his bushman brither
Compared wi aa the Cosmos hes in store.
A candle in the mirk wes aa their lore.

See aa yon academic chiels wha prink
And preen in snobbish clubs, whit tho they think
Their barren minds O so superior—
A candle in the mirk ootshines their lore.

And you wha think that God, like Everest
Can be spieled up and taen by man's conquest—
Huntin whales on the muin's a lesser chore.
A candle in the mirk is aa your lore.

Or you wha dream the finite human brain
The haill o the infinite Cosmos can contain—
Gie up sic pouer-notions, amadan mhòr!
A candle in the mirk is aa your lore.

Sae we guests here on Nature's sufferance
Maun treat oor Hostess wi due deference,
Aye mindfu o the unpeyable debt we owe her.
A candle in the mirk is aa man's lore.

Note: Amadan mhòr (amatan vore) is Gaelic for (o) muckle fool!

William J. Tait

Change o the Muin

Hamebound at the hinner end o a half-cock hooley,
Wi nae Helly tae lee, Loard help us, nor eneuch o the
  Deil
Or drink in oor dowf hert-ruits tae sprout a panache,
A plume o paumpas gerse or a paulmleaf parapluie,
Tae haud aff the hail-dunts o the maun-be-duins an
  mannas,
The sall-be-duins an sannas, the moarn's forekent
  onding.

Hamebound in a founert bus at stiggs an byocks,
Aiblins at its ain wersh waa-gang o swats an sweit,
An hauls up hirslan at a reid licht like a Free Kirk elder;
For ilk licht, like Time, 's against us as we stunk alang
At the clean airse-end o aathing—ilk licht but ane.

For wha coags frae a black clood but auld Madam
  Muin,
Auld judge o what-you-may-caa'ims, an straucht the
  street
'S a green gluid glisnan frae here tae Hyde Park Coarner;
The bus bangs, bluidspring, till Hyde Park Coarner's
  here;
An Robbie Graves' White Goddess, like a bairnie's
  bool
Thoum-skeetert, skitters toom-dowp doon the lift,
Puir Birkie Baretail!

                    Puir! An wha daur ding
Or lichtlie the lonn lamp in Heeven's vodd hoose?
We, wi oor claith-cled rumps oor aa but only boast?
Black faa the baund o's, gin we sain no the Soo,
An clap (presairve us!) the Deil's buiks' dugeared leaf,
Slid frae the sleeve or filched frae the pack's blind
  face,
Slap on the threefauld Queen, the Pride o Priles!

An sae we hae duin, certes, for a fourth face girns
(The muin a keekan-gless) back at oor ain: oor ain.
The cross-legged Joker jinks owerheid in a Cossak jig,
But doucely, doucely; the bus dunts slow tae a
  staund,
The muin nou the station clock wi its half-oor haund
Still haudan aff; an the yirth yont the steel an stane
Aince mair is anunder fit, albeit for twa cock-strides.
Sae douce an donnart's the neist, we gang thru the
  gantan gate,
The muin the mere muin an the moarn a day for itsel.

Aubade

In Memoriam: S.G.S. (1976)

As I stoater hame thro Drummond Place
At ten tae five o an April moarnin,
A barrage o birdsang opens up,
Blackies an mavises burstin their hawses;
An I think at first o a nicht in Brum,
An an Irish lass nearhaund neebin aff.
'Jasus! That's never the burds!' she said;
But it wis, it wis. Nou, ayont the trees
Whase ilka branch maun be booed doon
Wi a toansil-happy franc-tireur,
There liggs a nest, an eyrie, quaet
This fifteen months. O Sydney man,
Ye're a sair miss! I mind ae nicht—
A nicht! This same ungoadly oor
Whan my een caught my watch, but black
An frost-gript oot, tho bein within—
In Februar 'twis, three years frae syne.
The twa haunds taxt me: for a blink
I thocht I'd, juist this aince, ootsteyed
Even your welcome; but cuttin short
Sic wirds, ye raxed an gript the buik,
Your buik ye'd hed me readin frae,
The Vision of the Prodigal Son, an wrote:
'To Tait: too late? Oh no, Smith saith';
An leuch. I hear it yet. A soond
As faur frae music as the wirds frae verse,

An yet a catalyst that cheinged
The doggerel intae poetry. Oh no!
As lang's that lauch rings i my lugs,
The Auk is nae extinct. Nor ever!

The Seal-wife

I wadna haud ye nor bind.
Lat the sea keep its ain.
Like a get o the muin an the wind,
Ye raise frae yer skin an the sea;
An I haled ye oot frae the thrang
O the dancin train,
Here i my airms as lang
As the wind or the muin hauds the sea.

I wadna fetter a haund.
Lat the lave contend
Wha sall poind ye twixt lift an dry laund
Wi yon cleddin crulled at yer feet:
Wha, steek he the door ne'er sae ticht,
Sall learn at the end,
Whan the sang dees alang wi the licht,
Aa he lost whan he tethered yer feet.

Na, mine be tae pillow yer heid
On yon selkie skin;
Aince tae haud ye be aa my remeid
Till the laund taks fire frae the sea;
Till the tide-race o bluid an the swaw
That bracks ower the muin,
Gane gyte i yer een wi the thraw,
Maks yirth, air an fire aa the sea.

Thurso Berwick

Whit Wey's the Road?

Wi patchit plaid aa happit roon her briest,
An coorit doon aboot her wee bit fire,
She gies nae ear tae fit upon the stair,
She gies nae ear tae chappan on the door
An e'en she disnae hear me, when ah speir:
'Whit wey's the road that taks me tae the war?'

Bit aa intent upon a dullyart pan,
That's jist the least wee bit ablow the bile
'Gin only he'd been no sae blithe a chiel!'
—A waefu dirge, she croons, wi aa her sawl
'For daylight's no the same wi'oot his smile,
An aa ma sabbath-singan's wae an doul.

He wud be lachan noo aboot the hoose,
His een a-lowan, bricht as ony dirk:
'Ye've wrocht aa week, Auld Mither: aff tae kirk
An see the Licht! Ah'll see tae aa the wark.
An bring me hame a caun'le fur ma mirk'
—Och he wis licht, bit noo his een are daurk.'

Her patchit plaid's aa happit roon her briest,
She's coorit doon aboot her wee bit fire
An aye she disnae hear me when ah speir:
'Whit wey's the road, auld mither, tae the War?'

Brig o Giants
(Fur Goodsir Smith an Mayakovsky)

An oot o aa calamitie there cam
Ane laverock, a-lowan wi the bleeze,
Thit anerlie the sangs o wund can gie,
Thit anerlie the wund frae oot the trees,
An sang ti me.

An wi his sang ane trummlin tuik ma hauns:
The Brig o Giants thit lowps acorss the Forth,
The Eiffel Tour thit pirouettes Paris,
The Dniepro Dam inheritan the Yerth,
Aa bowed ti me.

Frae Ferry owre ti Ferry ah hae lowpt
This mony a year, an watcht the workers dee;
An watcht thir bairns luikan up at me,
Ti catch the siller, thit the tourists drappt,
And tears wur in ma ee.

Whilst war-ships, battle-in and battle-oot,
Hae sneakit oot an in ablowe ma knees,
Hae reekit roun an roun the Seevin Seas,
Perfectan ane nobilitie o loot,
Defendan lees.

Athout ane dout, the hauns thit gien me braith
Wur workers' hauns, wur hauns juist like yuir ain;
An, och, ah'm eager, eager fur the passin o yuir pain.
Yuir hauns are worth ane rebirth on the Forth.
—Ah'm eager fur yuir gain.

Yuir Scottish passport's music in ma ears.
Ah'll radio yuir visit roun aa France.
Hou gled they'll be ti ken the Auld Alliance
Is fact again! Ti mak up aa arrears,
Oor streets wull daunce.

Attention La France! Attention all!
Til neus thit ye're onwytan lang lang years;
Re-signed wi Scotland, Laund o Engineers,

The Auld Alliance!—Nae need ti mak ane call
Fur carnival.

The reid bank o the river's aa alowe,
Wi colourt fire, the fire o workers' een.
Bit Bourse is black.—Ah'll tap him wi ma paw.
Ah'll no hae ony insults ti ma freen.
Ma word is law.

Ay, France is no a circuit free o faults,
Bit wi ma voltage there's the dugs a-bark!
An there's the dauncers breengean oot the Park!
An freen—Pardon, La Concorde wants a waltz
—Ah'll suin be back.

Tovarisch Scotland! Vodka richt awa!
Ah'm proud ti tak yuir haun, an hou's the Clyde?
Ah wish ye'd send some Clydesmen here ti bide,
Fur, gin it's true whit aa the warld says,
They'd patch ma pride.

Ye see, tovarisch, twis ane muckle clour
Ah got; it damn near liquidated me.
Bit Bolsheviks are awfu sweirt ti dee.
An weel—the health o convalescence pouer
Til you and me !

O, Brig o Giants! thit lowps acorss the Forth.
O, Eiffel Tour! thit pirouettes Paris.
O, Dniepro Dam! Inheritan the Yerth,
Ah thank ye fur yuir solidaritie:
Ah ken yuir worth.

An, whin yuir steel is alloyed wi the sang
o laverocks; whin lords hae lost thir loot;
Whin Bourse has gin the way thit Bourses gang;
An Bolsheviks, thir convalescence oot,
Jyne in oor sang:
Athout ane dout,
Yuir steel wull shout, til ilka leaf,
Ane blithe salute.

Til the Citie o John Maclean

They've rieved the live rose frae the leaf
An bluidit aa hir snawy bosom;
Bit rose-buds wheesh the rose-tree's grief
An fresh hir rue til reasoun.

They've rowpt oor hames an gien us slums,
Black-reekit, chokit wi thir factries;
Bit rivets, reid-hot in thir wames
Wull eftir-birth thir victries.

They've taen oor bluid ti mak thir gowd
An stuid us idle, lean an lankit;
Bit nou black's birlan roun ti reid
—They're drunk at Yankee's banquet.

Then get the lethers on the waa,
An gie thir gates Auld Scotland's shouther;
An suid thir heids til Freedom faa,
T wull redd them oot the smoother
The doors are doun—the stairs are doun—
Lat nane come near athout bean thankit!
Fur Auld Lang Syne, then—aa breenge in!
—A Maclean is at yuir Banquet!

An thank ye braw. An thank ye rife.
We thank ye, John, wi reid o roses,
Thit, lowan wi life abuin yuir grave,
Wull mind us aye whaur lies—No!—*ryses*
The giant wha toured up in the dock
Wi eagle een o Scotland's wrackers,
An rowed aside that muckle rock,
Thit stappt the mou o hir makars.

They've rieved the live rose frae the leaf
An bluidit aa hir snawy bosom;
Bit rose-buds laved wi rievers' bluid,
Wull lowe wi loe, come simmer seasoun,
Whin, city, prood o John Maclean,
Ye ryse again!
An, braw wi reid rutes in the Clyde,
Ye guide the warld
Ti flourish.

Scots wha Hae

The Gallagate's a-fleur wi traitours
Rinnan aa-gaits wi thir havers;
Creatioun nivir crappt sic craturs
Creepan frae thir holes.

Bonnie Mary's lost hir suitors;
They've aa forgotten ocht thit maitters;
Hir gallants nou are stoot, wi gaiters,
Owre the border's pale.

Whaur's the Chairlie secon-sichtit
Thit wull see the lassie richtit?
An fecht until hir een's aa lichtit
Up lik Hogmanay's?

Hae aa the Scots wi havers driftit?
Aa thae braw chiels wi hert's-bluid giftit?
Ir waur, hae aa thir minds upliftit,
Luikan at hir thies?

In the pubs an in the pulpit
Chaff an sawdust mairk the culprit:
'Sae help us, God, we canna help it'!
Helpin helps himsel.

Can they no feel the nails she's tholan?
Hou can they kneel, whin hir knell's tollan?
Hou can they sleep whin Mary's wailan
Hie abuin the bell?

Hamish Henderson

Billet Doux

A word tae the go-by-the-wa's—aye, *you* I mean
that cannae thole these black dirk words o mine—
Wha yelp my claw o satire gars ye bleed,
and tear yuir fingers on this thorny leid.

Ye vent yuir sickly venom timourously
on 'bletherin bolshie tinks' the like o me:
yet back afore my filibusterin lash
and close yuir lugs tae *slancio* and *panache*.

I dinna ken whit bluidy flaw dryrots
the hairts an' minds an' guts o some damn Scots!
Cheatin the tomb yous gash cadavers are.
There's mair life i the daithsheid o Dunbar.

Passion ye've nane. A slaw revenge to pree
Wi falset's bodkin, sarcasm's snickersnee . . .
But whit is ours, and smeddum, and delyte.
Ae pleisure yet we hae, ye coons—tae flyte !

The Flyting o' Life and Daith

Quo life, the warld is mine.
The floo'ers and trees, they're a' my ain.
I am the day, and the sunshine
Quo life, the warld is mine.

Quo daith, the warld is mine.
Your lugs are deef, your een are blin
Your floo'ers maun dwine in my bitter win'
Quo daith, the warld is mine.

Quo life, the warld is mine.
I hae saft win's, an' healin' rain,
Aipples I hae, an' breid an' wine
Quo life, the warld is mine.

Quo daith, the warld is mine.
Whit sterts in dreid, gangs doon in pain
Bairns wintin' breid are makin' mane
Quo daith, the warld is mine.

Quo life, the warld is mine.
Your deidly wark, I ken it fine
There's maet on earth for ilka wean
Quo life, the warld is mine.

Quo daith, the warld is mine.
Your silly sheaves crine in my fire
My worm keeks in your barn and byre
Quo daith, the warld is mine.

Quo life, the warld is mine.
Dule on your een! Ae galliard hert
Can ban tae hell your blackest airt
Quo life, the warld is mine.

Quo daith, the warld is mine.
Your rantin' hert, in duddies braw,
He winna lowp my preeson wa'
Quo daith, the warld is mine.

Quo life, the warld is mine.
Though ye bigg preesons o' marble stane
Hert's luve ye cannae preeson in
Quo life, the warld is mine.

Quo daith, the warld is mine.
I hae dug a grave, I hae dug it deep,
For war an' the pest will gar ye sleep.
Quo daith, the warld is mine.

Quo life, the warld is mine.
An open grave is a furrow syne.
Ye'll no keep my seed frae fa'in in.
Quo life, the warld is mine.

Goettingen Nicht

On Nikolaus Hill
the wund blaws will:
whiles it's blaffy
an' whiles it's still.
In Goettingen toun
its fechtin's dune.
Lik an auld Pharaoh
it shauchles roun.

Och, gleg I'll be
whan I'm out o ye.
This was aye a fremmit
place tae me.
But tae clear out nou
whan the wund's blinfou—
by Christ in Heivin
it gars me grue.

Hirplin feet
on their weel-kent beat.
Nae livin craitur
comes doun the street.
Juist toom waas, bricht
i the lantern's licht.
By Adam's curse
it's an oorie nicht!

Epistle to Mary
(on receiving an invite to cross the Meedie)

Dear Mary, ye'll hae heard the baur
A news-hound peddled near and faur
That hobnailed tramplins in the glaur
Or punch-ups bluidy
Await the hardy souls wha daur
Tae cross the Meedie!

A thowless game they skellums play
Wha manufacture scares for pay.
Guid kens the donnert things they'll say
Tae pad an article,
Although it's plain o' sense they've nae
The sma'est particle.

A hangin' Judge, by name MacQueen,
In Twenty-Eicht dwalt snod and bien.
Frae's wark he'd wander hame his leen
Nor mak it speedy!
And whiles, tae ceilidh on a freen,
He'd cross the Meedie.

What he could dae, and freely did,
When croods were yellin' for his bluid,
We honest fowk, for Scotland's guid
(And oor ane tummies)
Will shairly dae, seein' we are bid,
And pree yir yummies!

Though noddies gether in the mirk
Wi' gullie knives, tae dae a Burke;
Though a' Young Niddrie Terrors lurk
Wi' een sae beady—
For them I winna gie a firk.
I'll cross the Meedie!

We'll step it oot tae George's Square
And sample a' this 'hamely fare'—
Although exotic's mebbe mair
The word I'm seekin'!

We'll pree the fleshpots, while they're there,
And never weaken.

Though in oor path the lichtnins flash,
Or Orange bowsies sing the Sash,
We'll run the risk o' bein' ca'd rash
Or just plain greedy!
Wi'oot a doot we'll hae a bash.
We'll cross the Meedie.

To Stuart—on his Leaving for Jamaica

Gae fetch tae us twa bolls o' malt,
The best that Sandy's can provide us,
And syne anither twa lay doon
As sune's we get the first inside us.
Scotch drink and sang hae aye been fieres;
Whisky and Stuart gang thegither:
Sae when the partin' gless we've drained,
We'll no' be sweir tae hae anither!

The boat that rocks aside the pier,
Will rock some mair when ye are on it.
Its deck will tilt and stand up hie
Tae match the tilt o' Stuart's bonnet.
On Kingston strand the dusky dames
For sportive romps will soon prepare 'em;
Spyin' the shape o' things to come,
They'll soon resolve tae grin an' bear 'em.

Stuart, atween us braid maun roll
'A waste of seas'—a vale o' water.
(What signifies a waste o' seas?
A waste o' beer's anither maitter.)
But, in their cups, in auld Bell's bar,
The Legion o' the Damned will mind ye;
And howp that, noo and then, ye'll toast
The gallus crew ye've left behind ye.

Alexander Scott

Coronach

For the deid o the 5th/7th Battalion,
The Gordon Highlanders

Waement the deid
I never did,
Owre gled I was ane o the lave
That somewey baid alive
To trauchle my thowless hert
Wi ithers' hurt.

But nou that I'm far
Frae the fechtin's fear,
Nou I hae won awa frae aa thon pain
Back til my beuks and my pen,
They croud aroun me out o the grave
Whaur love and langourie sae lanesome grieve.

Cryan the cauld words:
'We hae dree'd our weirds,
But you that byde ahin,
Ayont our awesome hyne,
You are the flesh we aince hae been,
We that are bruckle brokken bane.'

Cryan a drumlie speak:
'You hae the words we spak,
You hae the sang
We canna sing,
Sen death maun skail
The makar's skill.

'Makar, frae nou ye maun
Be singan for us deid men,
Sing til the warld we loo'd
(For aa that its brichtness lee'd)
And tell hou the sudden nicht
Cam doun and made us nocht.'

Waement the deid
I never did,
But nou I am safe awa
I hear their wae
Greetan greetan dark and daw,
Their death the-streen my darg the-day.

The Gallus Makar
(To Hugh MacDiarmid)

The gallus makar begoud to sing—
For aa it was 'winter fairly,'
He sang o simmer, he sang o love,
He sang o the bree o barley.

He shifted a haill yearhunder's wecht
Wi ae yark o his tongue,
He blew awa like a fuff o reek
The nicht that blinned the young.

The cant o the kirks he strippit clean,
The Gowden Calf stuid bare,
The merchants and meenisters couried awa
Frae the blast o caller air.

The makar grippit the Suddron roses,
Cramassie flouers o bluid:
The thorns gaed deep in's naukit neives
And scarted sair and reid.

'Gae back and blaw ayont the Border,
We hae a rose o our ain.
Smaa and white as Janiveer's snawdrap,
Bonnilie blaws her lane.

'Mak room, mak room, ye fremmit flouers,
Room for a rose o our ain,
Ye've stown sae muckle o Alba's gairden,
The wee white rose gets nane.

'She's buried ablow your thousand blossoms,
Happit frae Alba's sicht—
I'll blatter ye back ayont the Border
And lowse her free i the licht.'

The graybeards grat for the Suddron roses,
Girned and grat wi spite—
They'd lookit sae lang on cramassie petals
As tine their love o the white.

But roun the makar's standard o sang
The callants bourached braw,
They drave the Suddron roses doun
Frae the rose sae white and smaa.

'Reid roses, back ayont the Border,
We hae a rose o our ain:
Unhapped frae the dark til the sheen o the sun,
Bonnie she'll blaw her lane.'

Haar in Princes Street

The heicht o the biggins is happit in rauchens o haar,
The statues alane
Stand clearly, heid til fit in stane,
And lour frae *then* and *thonder* at *henceforth* and *here*.

The past on pedestals, girnan frae ilka feature,
Wi granite frouns
They glower at the present's feckless loons,
Its gangrels tint i the haar that fankles the future.

The fowk o flesh, stravaigan wha kens whither,
And come frae whar,
Hudder like ghaists i the gastrous haar,
Forfochten and wae i the smochteran smore o the
weather.

They swaiver and flirn i the freeth like straes i the sea,
An airtless swither,
Steeran awa the t'ane frae t'ither,
Alane, and lawlie aye to be lanesome sae.

But heich i' the lift (whar the haar is skailan fairlie
In blufferts o wind)
And blacker nor nicht whan starns are blind,
The Castle looms—a fell, a fabulous ferlie.

Dragonish, darksome, dourly grapplan the Rock
Wi claws o stane
That scart our history bare til the bane,
It braks like Fate throu Time's wanchancy reek.

Mouth Music

Dance it, dance it, skirl it, birl it, swing,
Wi a tipperan tae, wi a sway, wi a flourish, a fling,
A crack o the thoums and a levin o caperan heels
In a rowth and a revel, a reid-wud riot o reels
Sae hotchan that nane can enhance it,
Dance it, dance it.

Dance it, dance it, spin wi the spin o the earth
That breeds us, cleeds us, bleeds us in death and birth,
And needs us, the dancers, sae gallus o hert and o harns,
To haud her lowpan wi life in a lowe o starns,
Owre chancy for ithers to chance it,
Dance it, dance it.

Dance it, dance it, dirl i the tirl and the twyne
For the bluid, for the breath, for the brierin doun til the dwyne,
For smeddum to thole, for sairness, for strength to strive,
For agony, anger, aa that stangs us alive,
For licht and the love til advance it,
Dance it, dance it.

Dear Deid Dancer
('Whaur's Isadora Duncan dancin' noo?'—
Hugh MacDiarmid)

Dear Isadora Duncan,
Gane daft wi dope, or drunken,
Could only keep frae the poor-hous
By jazzan her jigs in a hure-hous,
A faa frae the het til the scorchin
For the hure o the Singer fortune
Whas sewin-machine-made siller
Had bocht her a bairnikie-killer,
A rinawa Rolls-Royce flivver
That drounit her getts i the river
And left her wi nocht but her dancin
Whan the millionaire dwined at romancin.

Dear Isadora Duncan,
She'd gotten sae muckle o spunk in,
She jigged for the Reid Revolution,
She shawed them her ain execution,
She stairted a schule o't for Lenin,
She merried the makar Yessenin,
A Burns for the Bolshies, a plouman,
Hauf genius, and nearly-hauf human,
A randie, a thief and a leear
Whas wyceness was wee and gat wee-er,
He reivit her hert wi his rypin
And gart her gae dance til his pipin.

Dear Isadora Duncan,
Her smeddum had nocht o the funkin,
The Reids rinnan short o the ready,
She sailed til the States wi her steady,
She jigged to win gowd frae the Yankees,
'A Communist ploy!' cried the swankies,
They thocht that her dances were treason
Wi names sic as 'Rebels Are Heezan,'
They buckled their sarks wi their booin,
But back she gaed boke at their gruein,
She swure that the truth should be bareit
And danced i the buff to declare it.

Dear Isadora Duncan,
Her breist was the braidest to bunk in,
Yet Yessenin flee'd frae her figure
To skaich for a bank-balance bigger,
But fand it owre hard to discover,
Sae scrievit some lines til his lover,
In bluid—it's an auld Russian habit—
And hangit himsel, he was wabbit,
But whan she gat word o his fleetin
She'd nae mair o tears for the greetin,
Her hert he had jigged as a plaything,
And nou he was jiggan on naething.

Dear Isadora Duncan,
On siller the Bolshies gaed flunkan,
Her schule was shut doun for the want o't
For aa that they'd hecht her a grant o't,
She'd offered their Eden an aipple
But tatties they'd leifer hae staple,
She fand she was freindless and fremmit
Wi scarcely a sark til her semmit,
And back til the West she cam bauchlan,
Forfochten wi socialist strauchlin,
Forfochten wi aathing but jiggin,
And thon couldna pey for her riggin.

Dear Isadora Duncan,
Her sowl had the iron weel-sunken,
She raikit the Frenchie Riveera,
She sorned on the sparks o the era,
Gat fou whan they bocht her a bottle
To droun the despair o her crottle
(Champagne was her favourite pushion,
A dwaum o the dance her illusion),
Gat fat, and syne fatter and fatter
(Deid hope was the meat on her platter),
Gat blearit, gat bladdit, gat blotto,
Gat smorit to deid in an auto.

Dear Isadora Duncan,
Your shadow can never gae shrunken,
Ye'll aye be 'The Warld's Biggest Dancer,'
Ye charmer, ye chaffer, ye chancer!
Ablow the gash glower o feedom
Ye jiggit for love and for freedom,
Ye jiggit for joy, for the jinkin,
For lauchter, for licht limmer-linkin,
For brakkan the bands o convention,
To cry what nae ither daured mention!
Your banes i the mools should be steeran
To jig it in time til our cheerin.

Grace Ungraced

I
Quick and deid, quick and deid,
on the ae nicht,
the same bit screen,
I see ye licht wi lauchter, hear ye sing
thon 'true-love' sang til the t'ither eedol,
and see ye lie i the kist for the sangless lair,
a 'bonnie corp' (a deid doll),
your fairheid's fushion
cryned in cathedral cauld,
I see ye waltz i the mair nor mortal warld
o *High Society* havers,
your hair a halo, gloried gowden,
sworled i the jig o jazz,
I see ye coiffured for kirkin,
licht gane dwyned frae the locks,
as gin some pouther faan frae your hindmaist pyne
had smaa'd and smoored the lowe,
I hear your larickins heichten the laich o life
til the tapmaist touer o a tapless time
i the eemist Eden, art,
I hear ye howed,
a sair silence, still as the Deid Sea
whaur fient the lipper steers the langest faw.

II
Mind ye? I see ye swey as the swan-maiden
a haill yearhunder syne
in aabody's amorous dwaum o the pictur'd past
wi you perfyte as the pictur-princess,
lassie o leaman snaw,
but duty's dochter,
heat o your hert made grieshoch
to gree wi a cauld king
and spire awa frae the spunkie airts o earth
to live i the lane lift,
sae heich, sae hyne,
sae far frae the fowk in a flicht o ferlie,
their ordnar een maun mairvel
at fremmit fairheid,
and ordinar tongues maun tirl
—*The Swan! The Swan!*[1]

Lass o the lift, I mind your loosome maik,
a winter swan whas wings made siller wind
i the iron air o a dowf December,
a lily o licht on the lourd heaven,
a white lowe on the land,
a sclent o sail on the scrimpit loch,
a bleeze in blae
whas flichter fleyed the haar frae the fleggit hert
and blent on the hirplan bluid in a glisk o glory
—or ae mirk daw whan air was dourer nor iron,
the lochan steely-stieve,
I murned a murther,
brichtness o brichtness deid i the breem dark
whaur nicht, a neive
that killed wi the claucht o cranreuch,
had ended as thon feddered faem in ice.

III
Anither icy straik, we see ye streekit
laich for the lair, a swackened swan
—but fluthered aye i the finest fedders, saunted in
silk, serene
(in ilka sense),
wi tears the tribute peyed by your ain prince,

your bairns begrutten,
and aa the great forgaitheran grief,
the wives o the richt royals,
the actor-president's langest leddy-lead,
a stour o Hollywood starns,
to hear ye hymned,
to see ye sainit,
ochoned by orchestras, cried by choirs,
propaled by a princely priest,
as cameras keek, as mimpan mikes are kedged
for sicht and sound o the haly savour
to glent athort the globe
whaur millions murn,
your dregy a wardle's wae for deid delyte—

a camera cowps,
sweys, sweals,
a mike maunders,
scraichs, skirls
—flames flender
bullets blatter
habberan habberan habberan habberan

feerochs o fire

a lourd langour

Focus.
Focus on fack.
A camp. Connached.
Fowk. Faan.

Corp eftir corp.
Corp eftir corp eftir corp.
Chiels.
Hauflins.

Wemen.
Bairns.
The bruck bulldozed.
Mooled in mauchs.

In laith Lebanon,
killed i the cause o coorse Christians,
laired wi a lauch for lament.

What swan can swail thon blash o bluid
ablow a snaw-white wing?

[1]In the Ruritanian romantic film *The Swan*, Grace Kelly played the princess, Alec Guinness her royal suitor, and Louis Jourdan her plebeian lover.

William Neill

Kailyard and After

When I wes wee I hud tae dae ma share
mulkan the kye wi the weemin in the byre;
I mind hou I wad scoosh lang streeman jaups
that loupit in the luggie makkin froth
rise oot frae yon rich deeps.

The douce kye skelpit roon thaim wi their tails
tae dicht the flees aff; whiles they'd cotch yir lug
a fair bit ding: ye'd sweir ablo yir braith.
An whiles the wilder yins wad try tae pit
their fit intil the luggie an caa ye oot
on tae the settles, luggie, stuil an aa . . .
an gin ye didna sett in ticht eneuch
there ye wad be, rubbin a sair hainch
a loch o mulk aboot ye in the grup,
the auld dug barkan an the weemin lauchan
tae see yir breeks aa smoort wi mulk an sharn.
Man, whit a contrast tae ma life-style nou . . .
nae dungarees, nae luggie and nae kye.

Escape to the tailored suit,
the pan-loaf speech,
the benefits of higher education,
the dull rewards of strict conformity.

O what a fall was there, my countrymen.

A Lament for Alba Moroon

Yirdins are no for me, I was never ane
tae wear a tile hat and a claw-hemmer coat;
I was never ane
tae staund aboot a cauld and clartie grave
wi een like a wannert stot.
For I canna equate a timmer kist like the lave
wi ane that was dear tae me.

I canna staund greetin and girnin.

But I wad gang tae the yirdin o Alba Moroon
wad thole the souchin o hypocrites and the blether
  o fules;
the kistit deid ablo, and the ee-dichtin-corbies abune;
begrutten, gey fashed with the loss but dreamin o
  wills . . .
for the muckle warld's aye birlin.

She maun be an auld wumman nou.

Och, I canna mind hou auld, but auld and dear tae
  the herts
O her last wooers . . . lang deid the jo's o her youth.
There's juist us few; the rest hae skailt tae foreign
  pairts.
There's juist us few that can see wi the een o truth . . .
nou, when we're greetin fou.

O she was thrawn, thrawn.

Mony the gentry that cam a coortin she wadna hae;
gentry frae ither airts, no her kind at aa . . .
she wasna ane tae be woo't wi siller, prood ye micht
  say
in her young days; she gaed doun a wee when her hair
  was touched wi snaw.

But no in the days o her youth, afore she was mairrit.

Drumbarchan Mains

There's monie a nicht I sate in the ingle-neuk
up at Drumbarchan whan I'd taen ma fee,
the rettlin wunnocks jinin in the crack . . .
ye cud hae yir telly onie day fur me.

Tae faa asleep in yon bothie, bien and quait
binna the auld meer champin her yeukie heels.
I needit nae het hap tae warm ma feet
nor peels fur a lown belly eftir meals.

Nou there's nae horse tae be fund aboot the ferm
but a muckle rid tractor ahint the stable door
syne auld-sons frae their faithers neednа learn
tae ken the fur-ahint frae the lan-afore.

Yince I gaed back tae tak a letter there;
the wife hersel wes loupan roon in breeks . . .
no dungarees, ye ken, but velvet claith . . .
her dowp wes gey near burstin thro the steeks.

The youngsters tell me that I'm no jist wice,
tae girn at progress, but there's ae thing plain:
Drumbarchan . . . Goad! I dinna ken the place . . .
hell mend me gin I gang yon gate again.

The Flyting of Jamie and Seumas—A Linguistic Problem

Quo Seumas: I see ye wear a philabeg
Tae deck yir dowp an shaw yir leg
An' swagger Reekie's vennels, gleg,
While I wear breeks:
An' by yir knee a jocteleg
Wi cairngorm keeks.

Quo Jamie: What ails ye nou, ye Hielant caird
I'm shair ye think nane but the Laird
Can daunner roun' wi baith knees bared
Tae wind and weather,
An' nou it seems I'll no be spared
Yir envious blether.

Ma hert sings oot in Scotland's cause
An' Scotland's weys an' Scotland's Laws
If thochtless jibes frae Johnnie Raws
Maun be ma dole,
Sic wit as fyles their feckless maws
I weel can thole.

Quo Seumas: Hou daur ye lay sic names on me
When in my veins there courses free,
The bluid o Finmore Mac-a-Fee
Great duine-uasal,
Fechter an Bard o High Degree
Ye Lawland vassal!

An' tho at times my heid I fash
Tae lend my lips tae Lallans clash
Yir bastard language coorse an brash
Will rax my tongue, sir . . .
But words o music, fire an dash,
I learnt when young, sir.

And sir, that ye should gang gluntow
Disturbs me not a fig I vow . . .
A blue Balmoral on yir pow
Prevents the cratan
It grieves me not that ye should stow
A hielant hat on.

It's what's below yir hat that ails me,
The ae true mark o Scot that fails ye
A heather-hen or capercailzie
Wi tartan feathers,
Wad be less odd, syne neither hails me
Wi Lallans blethers.

It ill becomes ye, man, I sweir
Tae warm yir banes wi Hielant gear
An then tae mock my broadcloth drear
Wi Lallans clatter . . .
It wad hae gart Rob Roy, I fear,
Yir neip-heid shatter.

I'll grant yir tongue is no juist fremit
(A Scots hert dings ablo yir semmit)
An yir concern, I'll no condemn it
For Scotland's sake,
Nae doot, the stock frae whilk ye stemmit
Gart Sudrons shake.

Nor YE'LL deny, sir, when I say
That Scot I am frae heid til tae
An bearing still in oor ain day
Oor ancient tongue, sir . . .
My clarsach tuned for Gaelic lay . . .
And she's weel strung, sir.

Quo Jamie: Ye mock the language o the Merse
An blether tae me nou o Erse
Yir language, Seumas, grows gey scarce
In Auld Dunedin,
For oor new Makars scrieved oot vairse
That stopped its seedin'.

Quo Seumas: Oh! I hae heard reports aboot thaim
Man, I hae nae guid cause tae doot thaim . . .
We'd aiblins been as weel without thaim
I heard ane say . . .
Although he thocht tae tune his cruit
then
Tae yon same lay

But then I heard, tae their damnation
That he'd taen up anither station
An thocht 'sham bards o a sham nation'
Best left alane, sir . . .
Wi 'laissez-faire and Calvination
Poxed tae the bane, sir.'

Quo Jamie: Deed, Sir, ye'll scarce deny that Hugh
Has bonnie vairses in his mou'
Whether in sober thocht (or fou)
Aboot the thrissle . . .
Gied mony a penny wheeple true
Gart Scotland rissle?

Dae Sydney's lines no lowse the spirit
o puir Auld Scotia wersh an worrit?
Wha but a damned fule sees nae merit
in their bricht lowe, sir?
Ilk patriot chiel, harrast an herrit
Lifts heigh his pow, sir.

Quo Seumas: Nor wad I, sir, deny their fire
'T was Scotia's haund that tuned their lyre,
The Lallans tongue an Celtic fire
In ae room beddit,
But Celtic dam an Celtic sire
Ye'd find best weddit.

An tae mak plainer yet my meaning
A Celtic hurt needs Celtic keening
Sae dinna naig me wi yir preening
In Hielant garb, sir,
For Celtic thochts on English leaning
's a sorry darg, sir.

I doot ye hae na heard the story
O' Sorley, Seoras, Ian, Rory
Wha gave the Tongue o' Scots new
glory
In oor ain days nou,
An monie mair I'd lay afore ye
Deserve yir praise nou.

But ye'd no justify that bargain
For though I rattle in your jargon
In alien clash ye're ower faur gone
Tae lift their lay, man
An Edinburgh messans barkin
Wad droon Bran's bay, man.

Some skill in Erse, as ye wad ca't
(Wi sneers, for ye wad droon a faut,
As drunkards sine their sauls wi maut)
Micht bring it hame yet:
Twins o an Auld Line micht be got
In Scotia's wame yet.

For lang-deid bardies in grave-yairds
In better yird than their dessairts
An lee'in scrievin' men-o-pairts
Towards London bendin',
Sae strumpetted auld Scotland's Airts
They're near past mendin.

Sae if ye'd richt the kynricht's wrangs
Gird up yir brogues wi Gaelic whangs
An walk wi Duncan o the Sangs . . .
Ye'll find 'Ben Doran'
Will better ease yir guilty pangs
Than Lallans splorin.

Quo Jamie: Be dam't tae that ye Hielant ghaist
Ye'd mak me tine the heid amaist
Ye ca my tongue baith wersh an waste . . .
English ye ca it?
The brawest wine my tongue can taste,
Whate'er befa' it.

Daugont! ye damn the licht that shines
Thro Davie Lindsay's lissome lines,
An smoor ablo yir Hielant whines
The brave Mossgiel?
An seek tae hide oor Lallans lines
In Gaeldom's creel?

Because I dinna howl like Bran
I fear ye think me less a man
Than ye yirsel in Scotland's plan
For her ain saul yet . . .
What maks ye think that Fingal can
Dae mair than Gall yet?

Quo Seumas: I fear nae haet yir aiths an damns
An tho ye've tartan roon yir hams
An raist yir sgornan's skin wi drams
Toastin the Thrissle;
Despite hou mony alien palms
Ye jag wi bristle . . .

Let Lallans bide in Lawland fanks . . .
An gin ye'd pit the Gael in branks
'T were best in breeks ye stowed yir
shanks;
'T wad shaw mair grace, Sir,
An aiblins earn yir hurdies' thanks
For their richt place, sir.

David Purves

Hard wumman

A'm left in the houss aw ma lane.
Ma faither an mither's awa.
Owreby ti ma grannie's thai've gaen—
ma big brither's gaen owre thare anaw.

It's hir echtiet birthday the-day
an thai've taen hir a whein fancie breid.
A geyan auld wumman is she—
A dout afore lang she'l be deid!

'Ye maunna praise bairns til thair face!
Thai'l end up fair boundless,' she'd say.
'Yeir face an yeir neck's a disgrace—
A'm no shuir A lyke ye the-day!'

'What ails ye at guid kail lyke thae?
Sowp thaim up an thai'l stick til yeir ribs!
A ken fyne the'r nae mouss in the strae;
Ye want lickit for tellin sic fibs!'

Hir an me nevir gat on that weill;
but thai say that langsyne on the street,
on hir shouthers she haigilt a creil,
an A nevir mynd seein hir greit.

Resurrection

Afore he made ti dee, Keing James the Fift
rowed roun ti face the waw an dwyned awa,
raither nor thole the skaith that wes ti cum
or byde the waesum thocht o Solway Moss.
The lave o Scots war no that ferr ahint
in trokin lyfe for airn fantasies
that smure ti deid the verra sowls o men.
The licht o Scotland syne gaed out, it seemed,
foraye; but wha coud ken the aumers dernt
anaith the auss, lowin awa unseen,
an wantin nocht but wunds o weird ti steir
an blaw thaim up intil a guid-gaun gleid.
An nou at lest we'r lyke ti resurrect
frae leevin daith, whatlyke wul Scotland be?
Wha kens? Fowr hunder year's a lang whyle deid!

Brierielaw

On the Brierielaw
i the dreipin rain
A haud afore
this gray heidstane.

An ma tears synds doun
wi the droukin rain
at thir twa names
on the grenite stane.

Whyle the weit skails doun
the cauldrif stane,
A burst ma hert
for ma warld that's gane.

Syne the sun breks throu—
Daith sants awa
as A staun ma lane
on the Brierielaw.

Alastair Mackie

The Shepherd

Grieshoch and pit-mirk
and the yowes are snaw on the hill
on a nicht when the velvous pend
o the lyft is awesome and still.

Mony's the nicht I've sat
neth the stewartry o the stars
and little thocht o the gowls o space
and aa its unkent fires.

Till nou, when my een are strung
on a sudden bleeze o licht
and I am a pairt o aa I see
and ken the pooer o the nicht.

The bale-fire dwines tae a spark
in the lowe that lowps abune,
and the Ploo is rugged asunder
and aa the starns gang roon.

And aa the lyft and aa the yirth
is yokit till a sang
while like a blindrift in the air
birls an unco thrang.

Ilkane was baith a sang-note
and sangster in yon gleid
and I was ane wi them that swirled
like a dirlin in the heid.

Gowden bugles mell wi the dark
that cowps doun like a lynn.
The stars are preens in the baas o my een,
my lugs hear nocht but win.

There's nae quait in the nicht nou
for terror cam wi a sang.
Yon licht that rived the mid-nicht oors
will gar me grue for lang.

On Brinkie's Brae

Wheesht bairn and haud this haund.
The heathery howes are thrummin
Wi the sang o simmer birds.
Staund deid-still.
Wherk-wherk, wheeple, pee-weesp.
The laverock chirls on her ledder,
Crines, and is clood.
Syne in a blue mou she lowses her knots o sang.
We are wapt aboot wi a quait
That flaws aneth the pleep o bird
Soughin fae oot the green oxters o the hill
That becaums in its dern tide
You lass, and me, and you blue tap,
Dyke, and ferm, and efterneen,
Till ye glower at me inside yon glamourie
That has boond us twa, your haund tae mine,
Sang-notes, whiles, in the sang o the yirth.

Pietà

Her face was thrawed.
She wisna aa come.

In the trams o her airms
the wummin held oot her first bairn.
It micht hae been a mercat day
and him for sale.
Naebody stoppit tae niffer.

His life bluid cled his breist
wi a new reid semmit.
He'd hippens for deid claes.

Aifter the boombers cleck
and the sodgers traik thro the skau
there's an auld air sterts up—
bubblin and greetin.

It's a ballant mithers sing
on their hunkers i the stour
for a bairn deid.

They ken it by hert.

It's the cauldest grue i the universe
yon skelloch.
It niver waukens the deid.

Weet Kin

Blyberin, bird-sang. And the nicht louers
in the seep and wheesht o the rain.

The grun slockens its muckle thrapple
fu o worms and tap-reits. This is oor Mey.

Ach, Scotland, a back close i the mind,
the doup o the seck, let doun country.

But the birds were thrawn; their tongues niver
devalled.
Twa three craigs contered aa that smirr.

Their weisands were the heids o soople waals.
Under the smoorin rain the whurams sweeled,

swaaled, melled, belled. An inklin o the better,
a wey oot o the coorse weet

jist. A last kittle up. Eneuch for a blue bore
to brak i the heid, and its dreich neuks tae clear

jist a thocht—for a blink o the horizon,
for the ships, the far ships on their eerands . . .

afore the brodheids hemmert doun the nicht.

Châteaux en Ecosse

'Lauchin at the puffin-lowe'.
I mind her yet hurklin ower the ingle
the deid auld body o my grandmither
croonin tae the firelicht unkent wirds.
'Puffin-lowe'. The winter gleed lauchit back
at her Lallans.

'Fit saa ya there?'
The poker duntit on the coals in time.
I maun hae dwaumed at her speirin yon
and drooned in the hert's bluid o the aizles.
I didna ken the jingle was an orphelin
that had langsyne tint the faimly o the tongue
and quavered noo i the auld wife's craig.
It nott a bleeze like yon tae gar it spik.

'Aa the widden-dremers'.
Whit did she mean? It was her deid forebears
(and mine) makkin ballants frae a bleeze
on winter nichts, workin fowk brakkin oot
o history and their crubbit lives, gaupin
at a lowe. And forby it was mebbe me.
Then and noo.

'Biggin castles i the air.'
Frae hyne awa I hear an auld wife sing
a kinna dregy till an ingle-gleed.
Here's me blawin on the cauld ess o her tongue
tae bigg, châteaux en Ecosse, thae bit poems.

In Memoriam Hugh MacDiarmid (1892–1978)

The deid-hole's a sma-boukit place for you.
You need tae be blawn aboot the cosmos
so's your live matter mells wi the spaces
and you become the stour starns are made o.

Sma spirit, ye couped yoursel oot like an ocean
and on it ye sailed tae your odyssey.
Your poems set their bows for the infinite.
It was a sma bit coble made o Scots.

Ahent the muckle brae-face o your brou
barmed the thochts. They were like boolders,
ram-stam, ramgunshoch, aften wilyart. Polyphemus
hurlin craigs at the galleys' hotterin starns.

And aye the sky-line cockit its fore-finger.
For fifty years laneliness was your crony.
Your spaces were polar anes, the cauld burn
o your mind the aixle-tree that iled your world.

I think o Pascal's infinite spaces
and Scotland a wee dot in the abyss.
You gied it a starn; the muckle hole skinkles
yet in the licht. Sic matter never dees.

The terror that I feel is for the muckle howe-hole
your last sleep leaves ahent. As if a mountain
that held up the lyft had sunk intae the mools
and suddenly the sky-line's unfrienly.

And oor steps styter and Scotland's again
'the bonny broukit bairn'. Lie back in your kist
licht bearer. And may the giant back-birn
ye cairriet lie lichtly in the earth's happin.

Eric Gold

Scottish Spearman Afore Flodden

Owre lang a spear—for a man like me,
but aiblins aa the same juist richt,
I aye was smaa an dowf an dour—
nae dout I'll dee a cuiflike sicht.

Nae place this—for a man like me,
there's nocht but screichin in the bane;
ayont thon banescreich bydes the dern—
frae maen an licht til mirk an pain.

Whit was this world—for a man like me,
but fleer an keb frae orra chiels,
life was ma laird wha gied me owre
til warslin wi a wheen o deils.

Aye, there war whiles—for a man like me,
whan o some country I was king:
faa doun Jenet, Meg, an Kate—
heh, hou this laird cuid gar them sing.

But at sic whiles—for a man like me,
the claw comes reivan for the croun:
rise up Jenet, Meg, an Kate—
the king gangs fadan wi the muin.

Days are aa daw—for a man like me,
aye like this wi its smirr an glaur:
like this gerss I am crusht wi ten thousan days—
I'm feart o the pain an the dern that's waur.
Dear Christ—we're aff!

Dunbar's Maen

Introibo ad altare Morphei,
ad Morpheum qui laetificat
the breidman Wull Dunbar.
Quia tu es, Morpheus,
fortitudo mea,
quarė me repulisti
et quare incedo
sae camsteerie, brasht,
dum affligit
this egit
weird?
Munda cor meum:
sain me wi nullitie.

Morpheus eleison:
gie me sleep.

Kyrie eleison:
gie me sleep.

Laus tibi:
gie me sleep—
sleep as sound as ony gat
in thon wersh routh o nullitie
King James an monie Scots lairds preed
juist twa week syne.
Requiem aeternum
dona eis Morpheus
et dern perpetua
mirkeat eis,
for aa their doulie legacie
loupt frae the bluidie English glaur—
gied me til harnfash.

Morpheus eleison:
the gowlan win shogs winnocks—rain
blatters like hail.

Kyrie eleison:
the youkan peerie baas o stane
gove aye the dern.

Waukrife but snod:
hochs til the wame,
neb til the knaps,
dock til the waa—amaist
like a bairn in skyte:
Dunbar ance mair
inter innocentes
but faur frae saikless.
Christe eleison!
the swaw o nicht
taks pair Dunbar
til the rocks o licht.

George Todd

Weeda's Sang

As ah lea'd by the waas o the toon
As slaw as slaw the sun dwan doon
Ahint the lea
Whaur a lassie sang sae licht an free,
She sang ti me:
Nir bricht bawbees, nir siller shoon,
Nir aa the young men in the toon
Are ocht bit skaith ti a lass that's free.

The sun ran fire in hir lang, lang hair
Lik a lowe frae the lyft as a sanct was there.
An her sang sae plain
Dang doon i ma hert lik a pyntit stane
Again and again:
Gin ma een wir stappt an ma feet wir bare,
Ma mou unkissed an ma hert aye sair,
Ah'd wheich wi the wund an niver be taen!

Ah turnt ma heid, ah caad her name,
Bit strang her vyce in wild sang came,
As ilk leaf she tirlt
Frae a rose o snaw an aa doon birlt,
While her sang aye dirlt:
G'awa, ma laddie, g'awa back hame,
Ah'se had yae man upo ma wame!
An she lowpt an laucht an awa she skirlt!

Duncan Glen

The Heid o Hecht

The laverock rises owre blin waas
At ane wi the great North wun
At the heid o hecht. Here
The Stuarts huntit the reid deer
And I look doun at that sma grey toun
Wi its fremmit Freench-like Palace
Whaur aince kings walkt wi thochts
O the saft wuns o the Sooth;

Saft wuns that cam lown north
Bringin the bricht bird o simmer
That has but a glisk o that cauld yin
Wha moves baith gress and pine. There
By toom waas whaur aince kings sat
Wi braw sudroun tapestries hidin
The grey stane that cam straucht
Frae the quarries o this hill.

Stanes and laverock risin heich
In the cauld wun that kens nae
Swallow, gouk, or that simmer swarm
O flees. And the great stanes are bare.
Nae claith or burnin wud that can
Gie and tak frae that cauld hunter oot
On the hill wi the laverock wha passes
Owre aw at the heid o hecht.

My Faither

Staunin noo aside his braw bress-haunled coffin
I mind him fine aside the black shinin range
In his grey strippit trousers, galluses and nae collar
For the flannel shirt. My faither.

I ken him fine thae twenty and mair years ago
Wi his great bauchles and flet auld kep;
And in his pooch the spottit reid neepkin
For usin wi snuff. My faither.

And ben in the lobby abune the braw shoon and
  spats,
Aside the silk waistcoat and claw-haimmer jaicket
Wi its muckle oxter pooch, hung the lum hat.
They caa'd him Jock the Lum. My faither.

And noo staunin wi thae braw shinin haunles
See him and me baith laid oot in the best
Black suitin wi proper white all weel chosen.
And dinna ken him. *My father.*

George Hardie

Lanarkshire Landscape

Pit bings heft scarred finger stumps,
reuch amputated, tae the lift.
Slate an blaes an reid ash mell
in barkie, bealin scabs.

An oot o this,
men got rich;
lived lang an bein.

But no them
whause bluid an bane
lie moagered
wi the debris o their wark.

No them
wha hunkered
in the water an the glaur,
wha heard the pit prop crack,
the yird rummle
an the screich o brither
buried in a livin grave.
Wha crawled an sweated, sweated an cursed
an finished
dreein the scaud
o wracked an riven lungs
an draggin the wecht
o beaukit banes
—gin they were lucky.

An noo,
the monuments o their exploitation
glower aa aroon.
Sterk. Shapeless hulks.
Ten million cubic yairds o pain.

Ellie McDonald

Itherness

Cauld, grey waater heaves on the neap tide,
sweir as the sun i the north est.
Aince, faur back, bairnlike
I wad hae loupt heid first intilt,
had ithers, kennan mair nor me,
no biggit dykes tae haud me siccar.

They fand me a buckie shell
an held it tae my lug.
I saw their een tak pleisur frae my joy,
but Calvin wadnae lat them cry its name,
nor lat them hear abuin the toun's stramash
the benmaist raxins o the hert.

Yet aye the soun is i my heid.
Ayont kirk bells an carnivals,
hures an guisers, pouder an pent,
ayont the hale stramash
like a Bach Chorale
sings my stane kist.

Tuim faces at the gless
watch for the sailor boys
skailin frae the boats.
Gang tune the fiddle an licht the lamp,
for there's maiks for the guiser
an maiks for the hure.

Outby, the sea's roar fills the nicht.
Listen will ye!

Pathfinder

I fash mysel about my leid
as the warld grows auld
an griens for cannlelicht,
while out here i the sherp, clear air
the shaddies dance a slow strathspey.
Walk wi me i the fuitprints o yer ancestors
owre weet rowan leaves
that whisper incantations.
The road I traivel has nae end.
The sang that circled aince
abune the broch, the cloister an the keep
rings i the pends an closies o the city.
Our past is an auld-farrant bairn we cairry
for the sang o the poet is in its hert.

The road's aye thrang wi fowk
but whaur I staun
is a scunneration tae me,
for the need tae curtsey
is a tale telt tae bairns
in a schule that hauds
nae echo o their birth.

Please Miss, gie's back the name
I houkit out o yon auld schule desk
afore compromise or expediency existit.

An whit div I cairry as I traivel?
Aa that's sair tae bear
gaithert in a clout.
Seeven times seeven year an mair
traivellin, traivellin.
Ae day suin I'll lowse the knot
an fae the poke'll skail
a smirr o rain,
a seagull's peenge,
a lang-forgotten look o love.
Aa that niver wis mine tae haud
I'll sheugh intil the stany grund
that Scotland is

an haud gang.
My heid doun, my words
blawn like windlestrae ahent me.

Gin I traivel alane
wi my face tae the norlan licht,
sae be it. I unnerstaun.
Sangs fae the faur awa
are nocht tae you that 'ud
raither haud cannles
up til a hantit gless.
My lug is aye til a soun
that's farrer back nor memory
but still hauds aa my being
i the space atween the words
I scrieve fornenst the silence.

For Hamish Henderson on his 80th Birthday

There's a sang that stouns
wi the hert's bluid
that only yersel can hear.

It's the souch o the tide
owre a shingle beach,
an the cry o the whaup on the air.

lt's a reishlin wind
through a stand o birks
at the weet back end o the year,

It's the wild geese cry,
an a burn in spate
as it finerts its wey tae the sea.

Wis are traivellin the road
wi that sang.

Naethin's connacht.

The fiddle, the pibroch,
the muckle sangs bide true,
as we hirsel oursels
tae a nation again.

So gaither, gaither the fowk
tae the stert o a new sang.

Our ain sang for the warld.

Donald Campbell

A Lang Sleep Owre

A lang sleep owre, I waukened
wi a blash o sunlicht on my face
an the birds singan heich in the clean
blue lift. Ootby, the wemen an bairns
lauched an clattered in the dirl
an clack o the day, tongues gurlan
intil my brain like the rattle
o some braw siller.

It wes a mornin tae mind wi the watter
sae pure an the fush rinnan wild
ablow the skelteran waves, the lassies
bauld an randie in the lang gress.
My fingers raxt an grabbed an my hert
filled up. I wes fresh
an ready tae go.

But no tae be. Syne the men cam
back frae the hill wi tired e'en an blattered
faces. Bluid on their hauns (an some no there)
My faither shook hes heid an spat
intil the green gress. The sun turned
awa an the sea
wes befylt wi a new clairt.

A haurd rain began tae faa an the lang sleep
wes owre.

Arthur's Seat

Nae Cuillin here, nae Rannoch Moor.
Neither heich hichts nor lang plains
for my musardrie;
only the slippery sliding slate,
the easily-broken brick,
a firie-farry o the fause and feeble
—the finite artifacts o coorse mankind.

I canna see this toun in terms
o time and space—yet see it aa for aa
that, ordered in my mindin's grip.
The famous and the fatuous
the douce, kenspeckle writers, clerks
the raucle quines, the queers, the keelies
the bus-conductors, secretaries
the scaffies, polis, sanitaries
the civil servants, students, bankers
the work-for-gooders and the sabre-clankers
the District Cooncil at its banquettin
—*and aa the makars on their junkettin*

I see it aa, yet canna name
each movement's motion, place exact
ilk detail on this landscape yet.
I canna separate or split
the *then* frae *here*, the *nou* frae *when*,
the hard times frae history, truth frae fact.

But then . . .
It's aa the sum o incidents.
Ilk dirty debit squares
its ain crouse credit, ticht as rhyme.
My smug experience
reels back upon its heels and dares
the merch o space, the fire o time.

I dinna miss, but winna hear
the whispered grumble far ablow
the lion's heid, the rumble
o a life-force that we langsyne left for deid.

I turn and leave, unshair.

The sleepin giant need but yawn
tae rive the rock they've built this toun upon.

Cuttag

Boisterous, braw . . .
. . .yet bland as butter!
It's queer, fell queer
hou the ringin divill in your een
sits sae weill
aside the riven sunlicht in your hair!

Days come. Days end.
Yet, for ever and aye
you are a movement in the universe
a laich wind blawin owre the minds o men
a blinterin star in adversity's dark nicht.

Poet talk!
Ye'd lauch at sic extremity o image,
sic grand excess o adoration. Blushes
rid as the rinnin bluid
in my veins wad skail like smirr
owre the pastures o your far wilderness,
the calm swaws o your kenless deeps.

Kindle me, cuttag. Sain me
Gie me the fire o your eldritch nicht
the white ember o your tranquil day,
Gar me blaze aside ye
in the still waters o your ocean
the wild harvests o your flaming fields.

Thon Nicht

D'ye mind thon nicht?
Thon nicht langsyne
in the winter o our bairnheid?
When the muckle mune
flourished wi splendour
in the naked silence o a star-thrang lift
and the snaw
blintered doucely on ilka step and stane?
Hou strang was the world thon nicht!
Hou grand! The shairpenin cauld
set aa our landscapes straight
in a richt perspective. The clear sicht
we got frae the wind-purged dark
shed a fresh licht on the thrawn horizon
o our raw, unsiccar dreams.
Gin ony cheil had tellt us then
o aa the ferlies and the failures
that we'd yet tae face
we'd lauched—and gin we'd guessed wirsels
wad we hae kent thon nicht
thon bonnie bonnie nicht
when eternity leamed in the nearhand dawn?

Cougait Revisited

'Aa ony o us ever wantit was a hoose in Jeffrey Street.'
—Old lady, reminiscing on her life in the Cougait.

Moving among sic stanes, I ken
I canna bide lang. I dinna mind
a time I wasna scunnered by this street
and I downa. Gin I could meet it
with a steady gaze for mair nor twa
three minutes at a time, I'd be gaffer
of that gang that's cawin it doun,
full of speiring wonder and a cowking disgust.
But I have no speiring now, no arguments,
no wonder. I hang about
thae black auld lands and dander owre
thae clairty gutters;
take a measure, make a count
of all the sinners, saints and ghaists
that dern ahint the snibbed and lockit shutters
time put up. And history for me
bides in nae dark entry, but maun forever
dree its kenless weird in the bonnier slums
of Burdiehouse, Gilmerton or even
a heich top-flat in the Dumbiedykes.

For hardly a soul of us ever won to Jeffrey Street.

Kenneth Fraser

The Things frae Inner Space

Ye maun hae read the sort o dreidfu tale
(Maist aften fand in science-fiction buiks)
Whaurin a wheen o unseen craturs skail
Frae their hame planet, an sin nae man luiks
Tae see them, they invade oor human heids—
Tho Jock may seem the same wee Glesca keelie
Frae ootside, in his harns he fins his deeds
Dictatit bi some fremit daud o jeely.
That's hou it is wi maist Scots, I wad say.
They seem Scots ootwardly, yet they've been taucht
In schule tae speak the English leid, an sae
Tae rule their lives bi English weys o thocht.
Frae this control some guid Scots hae won free.
Are you ane? Weel, I'm no sae shair o me.

Kate Armstrong

Pantoum fer Winter

doun riven the tint braith
mawkin scribbles owre the snaw
wee arles o sun-daith
water warstles wechty, slaw

mawkin scribbles owre the snaw
sternies bou tae the mockrife mune
water warstles wechty, slaw
nou the taid an puddock sloum

sternies bou tae the mockrife mune
houlets hunker saft as haar
nou the taid an puddock sloum
grippit fest in dwinin lair

houlets hunker saft as haar
winter's nieve is cauld an sterk
grippit fest in dwinin lair
aa maun learn tae dree the mirk

winter's nieve is cauld an sterk
doun riven the tint braith
aa maun learn tae dree the mirk
wee arles o sun daith

This is the Laund

This is the laund that bigs the winds; wind bigs the
  cloods:
the cloods, the weit; the weit, the grun; an antrin steer
o syle an rain. Thon frimple-frample watter rowin
frae Kenmore tae Dundee is cried the River Tay.
It's no the Tay ava. The get o aa the oceans
frae Mexico tae Greenlaun, gift o a cloodit warld
an we wid awn it, screive it. Siccar the wather-man,
ettlin tae shaw the springheid, warstles wi his isobars
an seeks tae trammel fer ae day the fricht o kennin
the yird's sclenter. Tae whitna maitter scarts atween
  these banks
on loan a whilie, we sall gie particlar name. But gif
the medium be the message, raither mind hoo thocht
or scoukin cloods kenna the immigration laws.
Frae muckle warld tae muckle warld, bairnie tae
  mither,
spicket tae syver, onding tae quernstane,
sae Scotlaun's fowk, skailt fraa ae haar or ither
intil a sheuch descreives them as her ain.

The watter made this paper, made this thocht; watter
  made screivin,
made pouer, made bluid. Gin I cud, I'd send a river
o Tayside tears tae sweil the flagstanes o Tiananmen
  clean.

Mary

The hoose door shoogles. She's iled it fer the skirl
O the girnin hinge, but it swings aye.
Ilka day she howders wi a sey tae the wal
In the yaird ootbye.

Orra sma fittie baists fimmer an flirr
On her flagstanes. Sea-maws twirl mirligo.
A peat-stack's cowped aroun the door.
Scarts breenge ablow.

Says her brither-son, in the mercat toun
Wi a smilin three-years' bride,
Affen we've axed her, wid she no come doun
Tae us tae bide.

Twa thousand on a new piano she's spent,
Her age, an nae electric. Wis it needed?
The auld yin wis feenished, richt eneuch, we kennt.
We werena heeded.

Hornshottle croftlaund, whaur the wind sings tae the
  gress
At catches the yett's fingers; whaups cown.
Black-broukit music sheets scouk in the press.
When the lift's lown

Frae the Tilley lamp, an the stour hauds its braith
Fer the lid's liftin, sae she sits doun,
Donnerin the hert o her sma warld's graith
Wi the steerin soun,

Forleit her echty year; mind o the laverock speerit,
On skinklin keys her yird-broon fingers fleein,
Biggin a siccar hoose, aye biggin forrit
Ayont time, ayont dreein.

Daibhidh Mitchell

Rann

Lik a rowan leafy i the Simmer
sae is my cailin
a rowantree slender, slim,
a pleasand saplin.

As reid-gowden aipples o the Hairst
rare is her colour,
my girl o the reid-gowd hair:
her breists are aipples.

A roe steppan lichtly i Springtime
lichtly, delicately
walks the dear lass o my sang,
my Celtic darlin.

Whiter nor a linn i the Winter
her lire is caller,
white hill-watter o Killin,
cauld linns of Alba.

Whaur's tongue to tell the supple rowan,
the fine grawn aipples,
the fleean deer, my sorrow—
or the fleet watter?

Invitacioun

C'wa my hinnie, let's gang dance
linkan gleg til this cantrip lilt.
Ilka starn i the lift this nicht
ettles to see ye steppan til't.

C'wa my hinnie, your een alowe;
dinna ye ken thon fiddler chiel's
gart the auld mune hersel gang jinkan
out-owre the warld wi doitit heels?

Cantily, cantily gang thae planets
and a hantle o lasses hae their fling;
deevil anither's sae camstreery,
settan her lane til sicna spring.

Binnae oursels just, aathing's birlan;
listen, ye limmer, or leuk and see.
Dinna be blate nou, dinna be glaikit;
c'wa my hinnie, come dance wi me.

For My Host

The siller mune was fou yon nicht,
yet no the hauf sae fou's mysel.
Belly was lourd, but hert was licht
and warm as Johnnie Calvin's Hell
sae dear til ilka deacon-man
alang the Tawe Riviera,
whan we fowr sang penillion
staucheran throu til Ystalyfera.

We fair gimcrackit up the lieds—
I kentna just the Cymric o't—
the deid bards shairly sheuk their heids
wi Celtic hate at ilka note.
But cantily we kept it gaun
wi 'Groiw loiw, Sister Sarah'
rair'd out wi rare penillion
staucheran throu til Ystalyfera.

Our maist unskeely lauchan lilt
amazit aa the skinklan starns.
There's naething better for to melt
a bitter cauld frae hert and harns
nor fowr lungs killan aff 'Llwyn On'
i Lallans, while anither pair o
callants apply penillion
staucheran throu til Ystalyfera.

Ah Stuart lad, I'll staucher faur
afore I'll sing a finer sang.
My voice is bad, my Welsh is waur,
my larynx ower short or lang,
my chance at chants is seldom on;
yet shair I swear it was a verra
bonnie-lik bit penillion
scattert thon nicht throu Ystalyfera.

Mod & Gammon

Maun I wi tinsel minstrelsie
hap up my Hieland loins, and be
ane o thir hantle kiltit callants
that ken their kittle leet o Lallans,
tellan my lass hou burds and bees
hae fun i the Faurthest Hebrides?
A pleasand ploy—until ye learn
I bear the burden, ye the bairn.
Or soud I, for the flatterie, flaunt
ane gowden-ringan waddin-chant
sall chime nine hunder years for ye.
My Silken Lamp o Lemanrie,
or siccan. Havers, ay; but even
havers can mak a kind o Hevin,
binnae ye'd say, 'A bad lad, yon,
wi's ballantrie galantan on.
He did but see June passan by
and yet he luves her—till July.'
I winna woo thon way, a tartan
shennachie frae the kindergarten,
countan the joinin of ingynes
less nor this lather in the loins.

At least I'se bring ye sangs outwith
the range o Sydney Goodsir Smith;
for whae is he? A canny callant
(says Hugh) for makin up a ballant.
And whae's himsel? His praise is sung
by wyce Professor Douglas Young.
And whae is he? He means a lot
til Maister Alexander Scott.
Whae's he? Anither o like kidney
and awfu dear til dear auld Sydney.
And aathegither, poets and peasants,
they represent our braw Renaissance,
whaur Life's a fact o luve, and Art's
a pretty rhyme for privy pairts;
and somewhiles, whan she answers Nix,
we tongue our cheek at politics
a wheen o pale-reid penny-wheeple
Agains the polis, For the People.
(Tho Sydney, speirt anent the Folk
lik Louis, says 'The Folk's me, Jock.')
O Northern Lichts! O Lichts o the North,
faur-sheenan furth the Firth o Forth,
wad ye bide still the outlands' favourite
scrievers o Scottisrie, gin evir it
were fand or guesst-at frae your verse
your Voyach Vann is aa your Erse?
Yet still they're spieran whit the wemen
want—and their answer's aye a leman,—
and still they're liltan à la Mod
o loons, o loins, o lines. O God
blatter ilk flappan claptrap thraipple
sniggers o Sin and Adam's Aipple;
blast ilka Leith-Street Rilke sings
o lips and hips and thies and things,
and winks, and thinks he kens it aa.
I'd suner nevir think ava,
but sleep some Lapland nicht wi ye
forouten need o musardrie:
nae need o lieds, nae need i the least
to steer my lips frae aff your breist
mellan my braeth intil your breathin
to tell yoursel I tell ye naething.

John Samuel

Hership

Breingean alang wi a rowt an a rummle
Drounan aw in his wuid humbummle
Duntabout, deivt wi his ain reird
Airts him awgaits, dowie an feard.
But I, Sannie Daw, can naethin hear
For the peisweip blast an its brattlan gear.

The sun glints gawcie whaur I sit
As gin he had nae mind te flit,
But the backend graith flees by the house
Wi an eident glew o cat an mouse;
Eileian awa lyke our ain Scots bluid,
Crynit an deid, gaes the hairst o the wuid.

A broun ane, a yalla, a cramassie
Gaes wallopan by, in the glisk o an ee;
A twaesum here, littit lyke laummer
Link alang te the deid's derk chaumer:
A limousine flees up wi a such
That airts thaim skailan in the sheuch.

Sum gae birlan heid owre dowp
Lyke a creishie poke on a Glesca cowp.
Sum are bellyflaucht, sum seem sweir,
Sum out o pech, than on they steer,
An the rowtan blast, wi an unco birr,
Gars thaim skelp lyke a newcawed gird.

Thonder the willyart sauch an birk
Mell wi the elm fae the whinstane kirk;
Thegither they winnle, tippertae
In a stourie brawl, than on they gae,
Crynt an deid, aye linkan alang,
Heid owre gowdie, wi an aefauld sang.

Thae smowts, wi thair uncannie speik
Hae rownit in ma lug aw week:
'A blast thats fowrtie tyme mair snell
Is ryvan Scotland, firth an fell;
—Laird Duntabout, an Sannie Daw—
The reivan wind is herriean aw.'

Notes on the poets and poems

Pittendrigh MacGillivray (1856–1938)

MacGillivray was one of Scotland's most distinguished sculptors, but also an accomplished minor poet in both Scots (in North-Eastern dialect and a more general form, the two being carefully distinguished) and English. Writing from the increasingly common and urgently felt viewpoint that Scots as a spoken tongue was doomed soon to disappear with the advance of new social and technological developments, he prefaced his collection *Bog Myrtle and Peat-Reek* with an essay on the status of Scots and his own poetic principles, and closed it with a meticulous and detailed glossary, giving the whole book the air of a deliberately planned monument to a dying culture. Nonetheless, his work earned the admiration of Hugh MacDiarmid; and the poem selected here, the most individual and most forceful in his output, was published not in *Bog Myrtle and Peat-Reek* but in MacDiarmid's *Scottish Chapbook*.

The unusual verse form, presenting the thoughts and images in strictly ordered and balanced lines and groups of lines, suggests a firm disciplinary constraint placed on an underlying anger at the state to which the men in the poem have been reduced, which breaks out only at the very end in the final expletive. Only a single false rhyme (*sure* requires its English pronunciation to rhyme with the Scots *sour* and *clour*) mars the otherwise faultless maintenance of the poetic form. The Scots is plain and realistic, in accordance with MacGillivray's stated intention of writing 'in so far only as I have a living knowledge of their [the Scots dialects'] words, idiom and accent': the predominant semantic fields of the distinctively Scots words reinforcing the grim and bleak tone of the poem, highlighted rather than relieved by the touches of ironic humour.

Lewis Spence (1874–1955)

Spence like MacGillivray was a poet only secondarily in the context of his life's achievement: as an anthropologist, he produced several landmark studies in Celtic and Meso-

American folklore and mythology. He was active in politics, for a time holding the office of Vice-President of the National Party of Scotland; and has an important place in the preliminary stages of the Scots Renaissance as the first poet to make serious and sustained use of quasi-mediaeval language (MacGillivray had also experimented with this, but on a minor scale). The four poems selected here illustrate his distinctive use of archaisms of language and style to varying degrees. *The Wee May o' Caledon* (Mary Queen of Scots, obviously) is ballad-like, with its use of short lines and formulaic phrases. Some of the archaisms are authentic; *oufant* is an invented adjective from the rare *ouf* 'elf' and the use of *poster* (same word as 'posture') seemingly to mean 'compass point' is an idiosyncrasy. *Wivies* is inauthentic (*wife* and similar words maintain the voiceless fricative in the plural, and the diminutive certainly does), a mistaken yielding to influence from English. *The Unicorn* is a full-blown mediaeval pastiche in both language (not only in the quasi-archaic spellings but in the evocation of heraldry and deliberate echoes of fifteenth- and sixteenth century poetry) and subject-matter, though the concluding argument clearly expresses Spence's wish for the Scotland of his own time. The inspiration for *The Lost Lyon* is surely the familiar ballad *Sir Patrick Spens*: the relationship is not stated directly, but the theme of a ship lost *en route* to (or back from) Norway is an obvious link; and the reference to King Elshinner (i.e. Alexander) suggests the historical episode of the Maid of Norway, the conjectural origin of the ballad. Here too Spence's harking back to the social and literary events of earlier times has resulted in an imaginative poem. *Mistral*, though maintaining the quasi-archaic language, is unusual for Spence in not employing a regular stanzaic or sonnet form. Spence underpins the cosmopolitan status desired for Scots poetry by citing the work of the great Occitan poet and lexicographer Frédéric Mistral (1830–1914), the central figure in the nineteenth-century (and still ongoing) revival of Provençal literature: the implied parallel between two literatures which attained to a peak of achievement and importance in the mediaeval period, suffered an eclipse and then were revived in modern times by the deliberate efforts of a group of active scholar-poets is indeed attractive, though valid only within limits.

Sir Alexander Gray (1882–1968)

Linguist, civil servant, Professor of Political Economy at Aberdeen and subsequently Edinburgh, Sir Alexander Gray was a classic Scottish polymath. His poetic use of Scots was principally reserved for five books of translations of poems and songs from German and Danish, collectively one of the landmarks in modern Scottish poetry and touchstones in the art of literary translation: most of his original poetry is in English, and shows verbal skill and sometimes stirring emotional depth; his *Scotland* has deservedly become an iconic text. A small corpus of original poetry in Scots, however, includes work of merit, as is demonstrated by the four poems included here. Like MacGillivray his thorough knowledge of his ancestral dialect—that of Angus in Gray's case as MacGillivray's was that of the Garioch—is underpinned by his wide reading of Scots poetry. He firmly rejected the supradialectal approach of MacDiarmid and his successors, arguing that the expressive power of Scots was sufficient in itself to ensure the status of the tongue and that it required no artificial reinforcement or spurious attempts to promote it as a national language. The poems printed here show his hallmarks of rich vocabulary and deep though understated emotional force. His use of traditional themes (e.g. the strength of spirit that finds contentment in a simple life, in *Babylon in Retrospect* and *The Wanderer*) and of long-established forms (e.g. a dialogue between a woman and a persistent lover who may (as here) or may not persuade her to grant him his desire) is skilfully couched in a Scots in which familiar vocabulary items are used naturally and spontaneously, and rarely for specific effects: even when deliberately emotive Scots words are chosen ('that clorty, smeeky, godless place') there is no sense of strain or contrivance.

Helen Burness Cruickshank (1886–1975)

One of a remarkable trio of mutually contemporary female poets from Angus, Helen Cruickshank became closely associated with the Scottish Renaissance and its leading personalities, and the development of her work through her long and productive life shows some degree of influence from the techniques and principles advanced by Spence and Grieve. Of the poems selected, *The Ponnage Pool*, *Corstorphine Woods* and *Sea Buckthorn* are traditional in their vocabulary. All illustrate the author's fondness for images drawn from nature and Scots words in the semantic fields of flora and fauna (in which the native word-stock is, of course, exceptionally rich). The first contrasts with the other two in its flexible metre and sparse rhymes; and the tension between the obscurity of the speaker's identity and the detailed vividness of the sensory images is an innovative touch. By contrast, *A Lang Guidnicht* evokes a poet of the reign of James VI, not only by addressing him directly but by the Spence-like pastiche Middle Scots in which it is written. Spellings (*quh-*, *ontil*, *shoirs*) and grammar (*thou wes*, *thou did*) are of the suggested period, though not entirely consistent (*bidding* in the last line is a conspicuous error); and the interweaving of end and internal rhymes is typical of the stylistic elaboration practised at James' court. The archaising tone is subverted by the forceful attack on the lamentable state of Scotland in her own time. *Rede* is for 'read', not the Scots word for 'advice / advise' so spelt; and the 'solemn sang' referred to is probably Montgomerie's *Adeu O Desie* [daisy] *of Delyte*. *Epistle for Christopher Murray Grieve* combines humorous expression and a register somewhat more colloquial (though with specific literary allusions) in a tribute which emphasises Grieve's unfading influence and inspirational presence.

Bessie J. B. MacArthur (1889–1983)

A minor poet but one whose skill in the Scots tongue is considerable, Bessie MacArthur's reputation rests largely on her wartime poetry. *Nocht o' Mortal Sicht* combines a traditional and strictly maintained verse format with vivid and strongly emotive imagery, couched in a rich Scots with use of onomatopoeic words. The later poem *Bethink ye what will come o't?* takes a more ironic tone, emphasised by the rapid metre and deceptively naive rhymes. The nursery-like conceit of the opening lines undercuts the implied celebration of the technological achievement of space exploration; and the association (far from unique to or original with this poem, of course) of this with the Biblical threat of apocalyptic destruction is made more immediate through being expressed in familiar vernacular Scots with its overtones, which the traditional poetic form underlines, of comfortable domesticity.

Hugh MacDiarmid (pseud. Christopher Murray Grieve, 1892–1978)

The kingpin of the Scots Renaissance in its first stages, MacDiarmid maintained his position as a dominant force in the Scottish literary field throughout his life. The direct and immediate influence of his early Scots poems on the linguistic and stylistic practices of his contemporaries was literally epoch-making: there can be few such instances in literary history of a major writer inspiring an entire generation of poets to produce work fully worthy to be mentioned alongside his. Long after this period had become history, his unfailingly prolific output and controversial pronouncements contributed to the unflagging dynamism of the Scottish literary scene. The poems chosen here show the diversity of his Scots writing at different periods in his life. In *The Sauchs in the Reuch Heuch Hauch*, like many of his poems, a line borrowed from another source (in this case a pronunciation manual by Alexander Melville Bell) becomes a peg on which to hang an imaginative and phonaesthetically powerful meditation, the pounding, asymmetrical rhythmic patterns being an important part of the effect. The impression of 'Scotsness' in the language is artificially underlined by the repeated velar fricatives, but apart from the title phrase only *hanlawhile* and *amplefeyst* in the last stanza are uniquely Scots lexemes. *To the Music of the Pipes* is a section of his long metaphysical rhapsody *A Drunk Man Looks at the Thistle*, in which the thistle suggests a crescendo of increasingly fantastic images abruptly deflated by the farcical last verse. *Pirly-wirly* is an onomatope derived from *pirl* in the sense of 'spin round'; *heich-skeich* is MacDiarmid's own concoction; *Terrier* is the nickname for a soldier in the Territorial Army. The reference to Schönberg, a highly controversial figure in 1926 (the date of the poem) was pointedly topical. *The Parrot Cry* and *To Alasdair Mac Mhaighistir Alasdair* are from his next poem-sequence *To Circumjack Cencrastus* but contrast markedly in tone and style, the first being straightforward polemic and the second the poetic response of one great poet to another (and a superb example of this kind). The importance of the eighteenth-century Jacobite poet Alexander MacDonald (his Gaelic name means 'Alexander son of Alexander the schoolmaster') cannot be summarised here, and since some of his greatest works have not been translated (an exception being *Birlinn Chlann Raghnail* 'Clanranald's Galley', rendered into English by MacDiarmid with the help of Sorley MacLean) most readers will have no means of ascertaining it for themselves: it must suffice to state that he is regarded as one of the supreme masters of the Gaelic tongue in a period which represents the high-water mark of Scottish Gaelic poetry. MacDiarmid's poem contains several specific references to his work. *Lourd on my Hert* is from the same sequence, and illustrates MacDiarmid's lyrical vein. Finally, a much later poem *Old Wife in High Spirits* proves that the exuberance of both his imagination and his writing had remained undimmed.

Nan Shepherd (1893–1981)

Nan Shepherd's life was spent in the North-East. She was active in the Scottish literary scene, maintaining friendships with many writers of local and national stature; and though not a first-magnitude figure has a distinctive place in the literature of the period. Her love of the Grampian mountain landscapes, as they appear at different seasons and in different weather conditions, is a keynote of her poetry and her novels: the title of her only volume of poetry is *In the Cairngorms*, and specific references such as 'Ben a'Bhuird' in the present poem are frequent. English is her preferred medium, for her poems often an intense and highly charged register: only two in the collection besides the one included here are in Scots. The dialogue of the Scots-speaking characters in her novels is markedly North-Eastern: only hints of the local dialect, however, appear in her Scots poems. In *Cauld, cauld as the wall* the negative *nae* is the only certain example; but the sound-music of the line is clearly improved if the word 'cauld' is given its Doric pronunciation *caal* (*wall* of course is 'well', pronounced [wal]).

William Jeffrey (1896–1946)

Though often overlooked, Jeffrey is an important figure in the Scottish Renaissance, taking up MacDiarmid's principled approach to the Scots language and using it to produce a highly individual corpus of poetry. According to a note in his collection *Sea Glimmer*, 'The vernacular poems in this collection are a contribution to the building up of a canon of Scots'; and the Scots he uses is often recondite in its vocabulary, drawing as MacDiarmid does not only on Jamieson's dictionary but on his own and other local dialects. As with Spence, the themes of his poetry are often suggested by the Stewart period. *George Bannatyne* commemorates the compiler of the Bannatyne Manuscript, an immeasurably important anthology containing hundreds of Scottish poems (including Dunbar's *The Thrissil and the Rois* and Henryson's *The Taill of the Uponlandis Mous and the Burges Mous*, referred to in the last line), for many of which it is the only record. Bannatyne was an Edinburgh merchant who (at least according to the traditional account) in 1568 left the city to escape a plague and compiled the manuscript to occupy his time during this period of absence from his usual work. *Allars of Heaven* and *Refugees* have the aura of mediaeval vision poems. The archaic quality of the first is suggested by the refrain line and the use of several lexical archaisms, including in the title a virtually unattested word derived from Old French (Jeffrey's own gloss is 'paths in a garden'); in the second, a simple moral tale told in ballad-like language and metre acquires overtones less suggestive of the New Testament (despite the epigraph) than of the Irish Age of Saints ('Bride' is a form of the name of St Brigit of Kildare). *Sea Glimmer*, the title poem of his collection, displays a technical skill of a high order in weaving a rich selection of expressive and in many cases rare words (e.g. *ontron* and *shallmillens*, the almost unique attestations of which are from Ayrshire and Shetland respectively) into a metrically faultless poem plentifully adorned with alliteration: a fine example of the endeavours of many poets of this period to emulate the verbal dexterity of the mediaeval Makars.

William Soutar (1898–1943)

One of the finest lyric poets of the twentieth century, in both Scots and English, Soutar's talents were stimulated by his friendship with MacDiarmid and other notable contributors to the Renaissance movement, and developed especially during the last fifteen years of his life which were spent as a bedridden invalid in his family home in Perth. His creative life is an exemplary record of a triumphant refusal to be daunted by his infirmity. The Scots which is his medium is firmly grounded in his native Perthshire dialect; yet his approach is more complex than this and his predominant use of ballad metre and other traditional verse forms suggests at first sight. The declining status and diminishing range of Scots was seen by him as an integral aspect of the demoralised state of Scotland; and his unswerving commitment to the revival of Scots was overtly for reasons of cultural nationalism as well as for its literary potential. Sharing this view with MacDiarmid, he nonetheless actively opposed rather than following MacDiarmid's eclectic method: *Apotheosis*, in which obvious verbal reminiscences of poems from *Sangschaw* suggest a parody rather than a serious imitation, and *The Thistle Looks at a Drunk Man* with its self-explanatory title and uncharacteristic use of invented or idiosyncratically distorted words (e.g. *nottle* for 'noddle', *styne*, conceivably a quasi-derivation from *stevin* 'voice', and *purgavie*, presumably a comical distortion of 'purgative') illustrate his satirical riposte to this. Instead, he employed the vocabulary used, or remembered, by his own and his parents' generations: his hallmarks include the choice of expressive Scots words for rhyme or alliteration and his abundant use of words with strong sensory denotations, such as words for movements and noises. The bairnsangs from his first collection, *Seeds in the Wind* (not represented here) illustrate these devices in abundance, and also another, namely the juxtaposition of sequences of words from a given semantic field. By contrast, *The Auld House* achieves its effect by repetition of simple words and phrases, contrasted with a few strategically-placed emotive lexemes. *Hal o' the Wynd*, which illustrates his satirical vein, is a reference to Sir Walter Scott's *The Fair Maid of Perth*, in which a blacksmith of this name takes part in a bloody clan battle (the historical Battle of the North Inch, 1396).

Albert Mackie (1904–1985)

During his long and productive life Mackie contributed to the Scottish cultural scene as journalist, literary critic, dramatist and poet, writing prolifically on many aspects of the national life, including the language (his *Talking Glasgow* (1978) and *Speak Scotch or Whistle* (1979) are highly entertaining as well as perceptive and informative). He was among the first to recognise the seismic effect of MacDiarmid's work on Scots and its associated literature: his own approach, however, resembles that of Soutar rather than MacDiarmid in being based on his native dialect, that of Edinburgh and the Lothians, marked by some localisms of pronunciation and vocabulary. His poetry forms a fairly small part of his entire output, being mostly contained in *Poems in Two Tongues* (1928) and *Sing a Song for Scotland* (1944). The two short poems included here illustrate his easy fluency in a lexically rich Scots, decorated with alliteration and vowel harmony. *Sea Strain* is ballad-like in its metre and rhyme scheme, and also in the sudden poignancy of its conclusion; *Thunder Sky* is more unusual in its format but expresses its theme with similar concision and dexterity. *Elegy*, in a tradition which could be said to date back to Robert Sempill's *Habbie Simpson*, combines humour and sharp-edged wit with a touching sense of affectionate regard for the dead man; and *To Hugh MacDiarmid* attempts in rough-hewn octosyllabic couplets to define the great poet's achievement, ending prophetically with the image of an ongoing struggle to build a new edifice of Scots poetry with MacDiarmid alongside Burns as its pillars and 'Annand, myself and twae-three ither' labouring to make their contribution. Mackie's confident and workmanlike use of Scots is not that of a great poet, but certainly that of a writer fully at ease with the language and capable of exploiting the expressive power of its sounds and words.

Robert McLellan (1907–1985)

As a dramatist, McLellan has a strong claim to be the finest that Scotland produced in the twentieth century: his *Jamie the Saxt*, *Flooers o Edinburgh*, *Torwatletie*, *The Hypocrite* and several others rank as landmarks in the genre, extending the range of drama in the Scots language with their vivid evocations of the characters and social backgrounds of their historical periods. His short stories, based on his recollections of his grandfather's fruit farm at Linmill, likewise combine realism and shrewd insight with a faultless command of Lanarkshire Scots. In this context his poetry, as with Mackie, forms only a small part of his entire output and indeed is often overlooked (his poems were published individually in literary magazines and have never been collected in a volume). Nonetheless, the three poems chosen here show skill of a high order in handling a specialised and recondite area of the language. *Winter* derives its potent emotional effect from the consistent use of nonce compounds and words with strongly sensory overtones, which combine with the slow-paced metre and long paratactic sentences to give a cumulatively developed picture of a forbidding scene. *Nicht Watch*, inspired by McLellan's wartime service, utilises repetition of grammatical structures and (partly as a result of this) a monotonously recurring rhythmic pattern to reinforce the bleak and melancholy tone of the words; and *The Lanely Fisher* imaginatively weaves the names of birds and onomatopes for their calls into a phonaesthetically as well as visually powerful scenic description.

J. K. Annand (1908–1993)

Though not one of the top-ranking poets of the Scottish Renaissance, J. K. Annand (the initials stand for James King, but he was invariably known as Jim) was one of its most active contributors, through not only his writings but his status as a founder member of the Lallans Society, later renamed the Scots Language Society, and long-term editorship of its journal *Lallans*, which after forty years is still a principal outlet for new Scots writing. An important factor in his lasting reputation is his three books of bairnrhymes, *Sing it Aince for Pleisure*, *Twice for Joy* and *Thrice to Show Ye*, deliberately modelled on Soutar's verses in the same genre. In contrast to the attractive spontaneity and familiar vernacular ring of these poems, the lexical richness and disciplined adherence to traditional verse patterns of much of his adult poetry at times suggests a scholarly approach to poetic composition: nonetheless, his best work shows a high degree of accomplishment in combining present-day Scots with evocations of the nation's literary past to produce dignified and imposing work. *Arctic Convoy* evokes a memory of his wartime service, the accumulating sequence of images of cold, darkness and fierce weather being conveyed by carefully chosen Scots words. *Vivat Glenlivat* (Glenlivet—the spelling is idiosyncratically altered here—is a distillery and the brand name of the whisky produced there; Minmore is the estate where it is situated), written in a much less lexically dense Scots, combines imagery derived from Gaelic poetry in praise of whisky with an intriguingly flexible metre (actually dactylic dimeter, but seeming from the independent placing of stress and pitch-prominence at times to modulate into iambic trimeter) to produce an unusual song-like lyric.

Alex Galloway (1908–1998)

Though neither the most prolific nor the most accomplished of the Scots Renaissance poets, Galloway's work at its best combines a technical sure-footedness with an ability to evoke emotionally powerful ideas or images in small-scale lyrics. He was born in Perth to working-class parents, and from the completion of his secondary education to the outbreak of war he alternated between factory work and unemployment. Successfully applying for conscientious objector status, he passed the war years in agricultural work, returning to factory employment when the war was over. Like his friend, mentor and fellow-townsman William Soutar, his poetic forms are predominantly traditional and his Scots founded in actual speech with little recourse to archaic or recherché words; but he falls short of Soutar in richness of vocabulary or profundity of thought. The ballad-like opening of *The Labourers* is immediately undercut by the realistic vernacular of the third and fourth lines; and this counterpointing of a wholly traditional format with a modern socialist theme, maintained throughout, produces a short but powerful lyric.

Robert Garioch (1909–1981)

Robert Garioch Sutherland (he never published under his full name) is one of the greatest figures of twentieth-century Scottish poetry. Born and schooled in Edinburgh, he worked for most of his life after the Second World War, of which he spent the last three years in a German prison camp, as a teacher; a calling of which some of his poems (such as *Garioch's Repone til George Buchanan*) are pointedly critical. Of his Scots, his own statement was 'My language is my native local Scots, plus words and expressions of any other date and provenance, from speech, dictionaries and books.' His language use is exceptionally versatile: the present selection is not entirely representative of his full range, no examples being included of the many poems in which he adopts a colloquial style marked by phonetic spellings as well as demotic vocabulary and idiom. His individual literary genius (a wholly fitting word) is manifest not only in his ability to draw on all periods and all registers of the language for his vocabulary, but to juxtapose words and phrases from diverse registers, often ones with specific literary associations, so as to interweave their overtones and resonances in mutually illuminating patterns. In this respect, he embodies more completely than almost any of his contemporaries the principle that their contribution to Scottish poetry is an integral and organically related part of a continuously growing and developing corpus. This is readily illustrated by the first poem included here. The title of '. . .*That is Stade in Perplexitie*. . .' is the last line of the earliest surviving Scots poem, an eight-line lament on the death of Alexander III; and the words *succoure and remeid* in the last line are from the same source. The word *hazel-raw* and the reference to literally scraping a growth of moss off a carved stone to reveal the inscribed words refer directly to MacDiarmid's solemn and portentous *The Eemis-Stane*. This juxtaposition of a late thirteenth-century and an early twentieth-century poem is startling enough; but the sense of a wondrous discovery evokes a mood radically opposed to those of either of the source poems; and the word *abaysit*, common in Middle Scots but long obsolete, is seemingly used not in its original sense of 'downcast, dismayed' but rather 'awestricken'. His technical mastery is also shown in the rhyming fecundity of *Garioch's Repone til George Buchanan*, a companion-piece to a Latin verse by Buchanan (tutor to the young James VI and a classicist of international reputation) lamenting the tribulations of a scholar, which Garioch translated into Scots as *The Humanist's Trauchles in Paris*. Something of the same ironic humour is visible in his war poem *The Bog*; but here it underlines the mood of bitter desolation which intensifies as the imagery modulates from dirt and squalor to apocalyptic destruction; the carefully chosen Scots words, often linked in pairs by alliteration, contributing to the effect. The Scots is less dense in *Weel Met in Buchan* and *And They Were Richt*, though the stock-in-trade use of clever rhymes continues. The latter poem, one of Garioch's many experiments with sonnet form, refers to an Edinburgh Festival Fringe performance of a work examining (with exceptional dramatic skill) the religious controversies of the Reformation period. *Scottish Scene* uses a more colloquial and in some respects highly realistic register, combined with faux-naif rhymes and deliberately clumsy meter, to underline the satire.

John Kincaid (1909–1981)

Kincaid was a Glaswegian by birth, upbringing and education; and apart from his service during the War years, lived there for most of his life, working in various posts, including as driver and conductor on the Glasgow trams, before moving into school teaching. He is one of the four poets (the others being George Todd, Thurso Berwick and F. J. Anderson) who contributed to the anthology *Fowrsom Reel*, published in 1949 and dedicated to the radical socialist John Maclean. The poems in the collection, as was becoming increasingly frequent and increasingly insistent in poetry of this period, were strongly political in tone and content; and all the poets except Anderson (who wrote in English) used a Scots which, while following the post-MacDiarmid pattern in using a vocabulary enhanced by archaic and dialectal words, also carried appropriate suggestions of Glasgow demotic. This booklet, indeed, could be said to mark a new phase, or at any rate a change of emphasis, in the Scottish Renaissance: as well as overtly placing Scots poetry in the context of the industrial working-class socialism of Red Clydeside, it demonstrated that development of the language was no longer an end in itself, the key function of Scots-writing poets being not now to expand the range of Scots but to harness it to a political aim. *A Glesga Rhapsodie* combines alliterative lines with heavy and irregular rhythms (four or more rarely five stresses and no fixed syllabic pattern), startling collocations of words and images (e.g. the two semantic fields of music and dance and graceless urban architecture in the second section), rare and invented words and compounds, and a consistent personification of the city as mistress or lover, to evoke with remarkable power and intensity the unique character which Glasgow had maintained from the Industrial Revolution to the time of writing (and which has some reality even today): a city where pervasive poverty and squalor in a bleak and dreary industrial landscape co-exist, in almost incomprehensible contradiction, with surging energy and vitality and an indomitable resilience and even *joie de vivre*. *Tae Our Reid Intelligentsia* is, among other things, a protest at the assumption (still virtually unshaken, to all appearances) of the English media that the history of England is that of the entire island: Oliver Cromwell's record in Scotland and Ireland is not such as to entice the citizens of those countries to join in any present-day celebration of him. Regular metre and conspicuous, often witty rhymes, in contrast to the form of the longer poem, underline the satirical point.

Olive Fraser (1909–1977)

One aspect of this poet's moving life story, in essence that of a brilliantly gifted woman crippled by illness and misfortune, is that her literary work was never collected or even systematically assessed until after her death. Though most of her work is in English, the language she heard during her childhood and youth in Nairn, and student days in Aberdeen, remained with her; and the poems selected here illustrate her fluency in the mither tongue and her ability to bring imaginative and emotional power to traditional poetic themes and forms. *Benighted in the Foothills of the Cairngorms: January* evokes the chill and silence by regular verse, repeated structural patterns (names of toponymic features, with in one case (A'an, officially spelt Avon) a specifically local pronunciation, as rhyme words; living creatures mentioned at corresponding points on different verses) and a quiet and sparse Scots vocabulary: the Scots, indeed, almost disappears in the final verse, with the English *curlew* being used instead of *whaup* and the non-Scots verb form *doth*. *A Gossip Silenced: The Thrush and the Eagle* is an original treatment of the anciently established form of a poetic dialogue; and the mystical quality which emerges in the eagle's lines dominates *All Sawles Eve*, ballad-like in its form and its use of natural imagery with strong emotional loading. This poem's haunting note of sadness and loss, a keynote in Fraser's entire output, has an easy biographical origin in the poet's rejection by her parents.

T. S. Law (1916–1997)

Though in some respects—his inventive use of Scots, his keen intellect and the wide-ranging knowledge integrated into his poetry, his political radicalism and identification with the urban working class—his work is typical of the Scottish Renaissance, Thomas Sturdy Law remains to some extent an isolated and undervalued figure; partly no doubt because of the sheer bulk of his oeuvre and his propensity for long poems, but also because of the uncompromising sternness of his ideas and expression. He was of Fife mining stock, and after his wartime service in the RAF worked for a short time in the collieries until an accident led to his leaving this job and finding employment as a technical writer. (Fife influences appear in the language of his poetry, e.g. the forms *yellae*, *follae*, and his at first confusing use of the digraph *ui* not only with the long-established implication of a front vowel derived from OE long *o* but also to suggest the vowel in words like *wuin* 'wind', lower and more central in this dialect than in most others.) The main activities of his life, however, were literary work and political activism, often combined in the writing of protest songs: like several other poets represented in this anthology, he was at the centre of the organised, articulate and radical wave of protest, socially and politically left-wing in Scotland as elsewhere but here combined with nationalism, which inflamed much of western Europe and North America in the 1960s. Of the poems selected here, the short lyric

Cauld Comfort was written just after the War. *Miner's Melodie* (actually a song lyric) utilises his personal experience of a miner's life, not as often elsewhere for political capital but in a lyrical evocation of the life-giving power of the natural world. (*Erd-an-guidluve* is idiosyncratic, but since *guid* 'good' has often been used as a euphemism for 'God' conceivably means 'love of the world ('earth') and its animating life-force'.) *The Free Nation* and *A Hauf a Croon o Devolutioun* were written in the late 1970s in the period before the devolution referendum of 1979: this of course turned out a fiasco, but the poems evoke both the vision underlying the political movement and the awareness of the unshakeable hostility, unaltered since then, of the establishment to any degree of self-determination for Scotland. Finally *Renewal* counters the defeatism which crippled Scottish political life for years after the referendum. In those poems, the force and clarity with which Law's thoughts are expressed is enhanced by his disciplined use of traditional verse forms with short and grammatically self-contained lines.

Douglas Young (1913–1973)

Young's poetic corpus is relatively small, most of it contained in the two slim volumes *Auntran Blads* and *A Braird o Thristles*, but his contribution to the Scottish Renaissance consists in much more than this: in his books, essays and pamphlets, his political activities (*Auntran Blads* was published while he was in jail for refusing conscription), his part in establishing a revised spelling system for Scots, and his translations from a range of languages surpassed only, among his Scottish contemporaries, by Edwin Morgan, one result of which was to bring the poetry of Sorley Maclean and George Campbell Hay for the first time to the attention of readers outwith the Gaeltacht. He was also a classical scholar of international reputation. His poetic idiolect, that of a scholar and polyglot, is marked by an abundance of archaic and quasi-archaic words, integrated with remarkable skill into a grammatically consistent and formally disciplined register: he is arguably the most successful of all the post-MacDiarmid poets in demonstrating what Scots *might* have become if the steady development of the late-mediaeval and Renaissance periods had not been halted. *Thesaurus Paleo-Scoticus* pays graceful tribute to Jamieson's Dictionary as a source of his vocabulary, but he is more consistently successful than some of his contemporaries in making his use of the words sound fitting in their context. The dignified emotional restraint of *For Alasdair*, one of his few direct poetic responses to the War, is underlined by the measured cadences of the verse and the reference to a folk-belief in *the laigh road hame*: 'by which the dead travel, very speedily' in the words of his note. In *Whiles*, as in several other poems, it is the professor of Greek as well as the Scots poet who writes: the lakeside town of Ochrida, now in Macedonia, is an ancient and archaeologically important site, and Sveti [Saint] Naüm is a monastery, founded in the tenth century, dedicated to its patron saint. *Sabbath i the Mearns* and *Ice-Flumes Owergie their Lades* are noteworthy illustrations of Young's metrical skill: instances of the Spenserian stanza in mid-twentieth century Scottish (or English) poetry are rare indeed. Finally *Hielant Colloguy*, a more directly polemical poem than is usual with Young, relates the deserted and desolate state of the present-day Highlands to the Clearances and subsequent social developments: the sudden defiant note in the last line is a typical trick of this highly inventive poet.

George Campbell Hay (1915–1984)

On any showing one of the giants of twentieth-century Scottish poetry, Hay is one of the only two important poets (the other is William Neill) who wrote in both Scots and Gaelic—as well as English, French, Italian and Norwegian. He was born in Tarbert, and the landscapes and seascapes of what was then Argyllshire form a keynote of his poetry: also of fundamental importance is that though the indigenous Gaelic speech of the area was on the point of extinction, enough native speakers remained to assist him in adding, at an early age, a full fluency in the language to the local dialect (Highland English with an admixture of Scots) which was his mother tongue. A period of study at Oxford was important principally in that it led to his acquaintance with Douglas Young, a catalytic influence on his developing interest in Scottish poetry and Scottish nationalism; and on his return to Scotland he became an active member of the SNP as well as pursuing with great enthusiasm the study of Gaelic and the writing of poetry. Wartime service in North Africa enabled him to add Arabic to his languages and to acquire a knowledge of and sympathy with its culture; but also apparently initiated the psychological disorder by which he was handicapped for the remainder of his life, though his literary activity was courageously and determinedly maintained till his death. His remarkable versatility is illustrated by the poems selected here. *A Ballad in Answer to Servius Sulpicius Rufus* was inspired directly by a poem of Douglas Young (who is addressed in the first line of the envoi: 'God' was his student nickname), but the title figure was a Roman jurist who in a letter to Cicero wrote of measuring individual human tragedies against the destruction of cities and civilisations: a peg on which Hay hangs a meditation on the ancient theme of mutability, with finely chosen Scottish illustrations. *Lomsgrios na Tìre* elaborates on this theme; and both it, *Tìr Thàirngire* and *Scots Arcadia* illustrate one of Hay's most individual and fascinating stylistic devices, the use of Gaelic-derived rhythms and cadences. (A knowledge of Gaelic is not necessary, but to appreciate the distinctive and marvellously subtle prosody of these poems they must be at least mentally *heard*.) By contrast, *Oor Jock* is firmly in the Lowland Scots tradition of humorous verse, with a rich vocabulary much less marked with archaic and regional words than the others; and finally *Solan* is a word-picture in almost free verse. Throughout, Hay's subtle and delicate interweaving patterns of alliteration and vowel harmony, again as in Gaelic verse (where such ornamentation is not an optional 'extra' as in Scots and English but an integral part of all poetic composition) contribute to the highly individual quality of his works.

Sydney Goodsir Smith (1915–1975)

Unusually among the Scots Renaissance makars, Smith was not Scottish by birth: he came from New Zealand, arriving in Scotland at the age of fourteen when his father took up a professorial post at Edinburgh University. The mastery of the Scots tongue as a literary medium which he eventually acquired (he never had it as a spoken language) resulted from his enthusiastic exploration of the national literary canon and equally enthusiastic observation of the language he heard around him, especially in the streets and pubs of Edinburgh. His distinction as a Scots poet came with practice, his early efforts being notably inconsistent in quality; but his mature verse shows an abounding skill in combining, or modulating between, an aureate register adorned with authentic or invented Middle Scots words, and a register approximating to expressive colloquial demotic. He also indulged in Joycean experimentation, producing hitherto unimagined compounds and concoctions: this is most in evidence in his novel (if that is what it should be called) *Carotid Cornucopius*, but emerges in his later poetry too. His choice of topics is wide-ranging, as the selection shows: the history and present state of Scotland is a recurring theme, but so are the struggles for freedom of other peoples and of the oppressed proletariat, individual iconic figures of socialism or nationalism (an early example is *Llanto* [i.e. lament] *for Federico Garcia Lorca*), thoughts aroused by the Second World War (in which, unlike some of his confrères, for reasons of health he did not actively serve), the convivial pleasures of food, drink and company (an aspect of both his work and his life which has drawn comparisons with Burns), and love in all its aspects: the poem *Dido* is part of his masterpiece sequence *Under the Eildon Tree*, a celebration in marvellously inventive language of history's great lovers. *Prolegomenon* ('introduction': the book in which it appears is called *The Deevil's Waltz*) recalls Dunbar in its frenetic pace and its blend of humour and menace, and the lyrical *King and Queen o the Fowr Airts* celebrates love in a wild flight of fantastic imagination expressed in fittingly ornate language. In complete contrast, The *Grace of God and the Meth-Drinker* employs an equal degree of linguistic virtuosity to evoke an image of unredeemed squalor; and *A Bairn Seick* uses imaginative suggestion rather than direct statement to arouse a sense of indefinite menace.

Edward Boyd (1916–1989)

Boyd was born in Stevenston, Ayrshire. His career before the Second World War was with Glasgow Unity Theatre, as actor and director. His wartime service in the RAF prompted part of his small poetic output; and after the War his creative talents were applied to writing scripts for radio and television dramas, including the long-running police series *Z-Cars* and later *The View from Daniel Pike*, the latter set in Glasgow and starring the famous actor Roddy MacMillan. The poem selected here was published in *The Voice of Scotland*, a journal founded and edited by Hugh MacDiarmid; and is rare in Boyd's output in being in Scots and in a traditional verse form. The title is sufficiently arresting, with its use of an onomatope and a rare and archaic word. The image of the poppy, beautiful but ambivalent from its traditional association with sleep, is followed in the next stanza by three creatures unequivocally associated with evil and menace; the macabre theme representing a vein frequently exemplified in Scots poetry.

Maurice Lindsay (1918–2009)

A Glaswegian and a classic Scottish man of many talents, Lindsay began composing poetry in his schooldays and wrote prolifically throughout his life; but his part in the development of the Scottish cultural field includes much besides his achievement as a poet. His work as editor, anthologist, scholar and critic, prolific both in print and in broadcasting, was an integral contribution to the dynamism of the national literary scene: a landmark book on Burns and a single-volume *History of Scottish Literature* are among his contributions; and his *Modern Scottish Poetry: an Anthology of the Scottish Renaissance*, first published in 1946, helped to consolidate the collective achievement of the period. He also served for many years as Director of Scottish Civic Trust. As a poet Lindsay favoured English, most of his Scots work being relatively early in his writing career. Attracted by MacDiarmid's work he produced a volume of Scots poetry, *Hurlygush*, in 1948 (which includes the first two poems selected here: the third is from Volume 4 of his edited periodical *Poetry Scotland*); but after this rarely wrote in anything but English; even committing himself to pessimistic predictions, in retrospect demonstrably wrong, on the potential of Scots as a poetic medium. At its best, his Scots poetry combines a manifestly enthusiastic experimentation with expressive Scots words (the opening line of *At the Cowal Games, Dunoon* is as good an example as any) with a high degree of metrical skill, in the service of a clear and forcefully presented thought: the sarcastic exaltation of superficial 'tartanry' in this poem, and its scathing conclusion, are underlined by the jaunty rhythms and the abundance of words from a colloquial register. The same fiercely critical view of modern Scotland is conveyed in *On Hearin a Merle Singan* through more literary language intruded upon by out-of-register words: the charming evocation of the singing bird is uneasily queried by the jarring rhyme 'thrapple—grapple', and exploded by laughter-inducing *gilliegawky*. Finally in *Milk* the simple and familiar language appropriate to a pastoral idyll proves equally capable of reversing the mood in the final verse.

Tom Scott (1918–1995)

Scott was of Glasgow working-class stock: his father was a boiler-maker and his own early years were spent working as a stonemason in St Andrews, later commemorating the town and its worthies in a sequence of which *Brand the Builder* is the title poem. His upbringing in Red Clydeside is fundamental to his entire poetic identity: no other major poet of the Scots Renaissance, including MacDiarmid and Law, brought greater eloquence and passion to the work of denouncing the false values of capitalism and mercantilism. Strikingly for a modern poet, his ferocious antipathy towards unjust and oppressive social systems is overtly expressed with reference to traditional Christian teachings; though the conduct of the Church through the ages earns the full force of his diatribes too. (His first extended original poem in Scots, *The Paschal Candill*, is a meditation on the ceremonies, rituals and doctrines of the Christian faith, couched in a language which varies from quasi-Middle Scots to a contemporary vernacular.) To balance this, another keynote of his poetry is (Burns-like) an enduring faith in the traditional Scottish virtues of honesty, diligence, family affection and tenacious courage in adversity. Again like Burns, hard manual work did not hinder him from voracious reading: an encyclopaedic range of knowledge manifests itself throughout his work (*Orpheus* is one of several early poems on great iconic figures from history and literature). After serving in the Pay Corps during the War, he lived for a time in London, taking an active part in its literary life and writing poetry in the contemporary vein: most of his work of this period he later rejected. His first venture in Scots writing was a set of translations, *Seevin Poems o Maister Francis Villon* (as with Young, Hay and several other Scottish Renaissance poets, translations continued to form an important part of his output), which earned the approval of T. S. Eliot. With the latter's encouragement, he proceeded to develop his Scots voice, achieving a flexible synthesis of his native Clydeside and a register derived from the mediaeval makars. The influence of this period on his work is shown not only in language but in his frequent use of stanzas with a varying refrain line, one of Dunbar's hallmarks (such as *La Condition Humaine*) and of poetic forms characteristic of the age (such as the exquisite *Villanelle de Noel*). Returning to Scotland in 1952, he studied at Newbattle Abbey College, a noted powerhouse of literary activity, and subsequently at Edinburgh University, writing a Ph.D. thesis on Dunbar which became the basis for a monograph. Much of his later work consists of long and erudite poems, charged with ethical fervour, such as *At the Shrine of the Unkent Sodger*, a passionate anti-war tract, and *The Ship*, in which a doomed ship of stupendous size is a metaphor for the entirety of human cultural achievement. On a smaller scale, *Fergus* (the name of the semi-legendary first king of the Scots of Dalriada) shows the same ambition in encapsulating and commenting on Scotland's history in seventeen stanzas. An ardent political and cultural nationalist like his poetic confrères, he frequently denounced the apathy and defeatism which crippled the national life (one poem is entitled *Scotshire the Grave*): *Ceol Mór* ('Great Music': the technical term for a mode of traditional pipe music, a highly developed art form of great antiquity) uses intricate patterns of rhythm and verbal repetition suggestive of the music itself to evoke what Scotland has lost and must recover.

William J. Tait (1918–1992)

Tait's reputation is principally as a Shetland poet: his

original verses and translations, the latter group including a remarkable posthumously published rendering of Villon's *Testament*, are an integral part of the impressive body of poetry in the Shetland dialect, arguably the richest and finest of all regional Scots literatures. After studying at Lerwick High School and Edinburgh University he held teaching posts, at first in his native community but subsequently in various locations in Scotland and England; and became an active member of the Scottish Renaissance poetic scene. Identifying himself with this movement, he acquired the ability to write not only in Shetland dialect but in a more general Scots illustrating the principles and techniques of the Renaissance: unlike most of his island confrères, his poetic language varies from pristine Shetland (though this remained his favoured register and the medium of his most characteristic work) to a Scots with only a faint trace, or virtually none, of his own dialect. The three poems selected here contain only a very few words peculiar to Shetland (*helly, coag, vodd, neeb*). The intricate alliterations, deliberately awkward rhythms and peculiar verbal collocations in *Change o the Muin* combine with a lexically dense and at times obscure Scots, the impression of ironically perverse ingenuity underlining the mood of wry resignation. *Aubade*, dedicated to Sydney Goodsir Smith ('the Auk' was his literary nickname), in a much less recondite style, makes a memorable poetic tribute out of a single remembered incident, and *The Seal Wife* presents an individual interpretation of a traditional theme prominent in the lore of the Shetland isles.

Thurso Berwick (1919–1981)

Morris Blythman's pseudonym, fairly obviously, is composed of the names of the northernmost and southernmost towns on Scotland's east (Europe-facing) coast: the tacit reclamation of Berwick as a Scottish town is no doubt intentional. Born and educated in Inverkeithing, he spent most of his working life as a teacher in Glasgow; but he was also an active member of the Communist party; and his work as poet and radical activist was central to the great efflorescence of socialist poetry and protest song in Scotland in the 1940s and '50s. As Convenor of the Research and Publications Committee of the John MacLean Society he brought a noteworthy dynamism to the task of organising a variety of public events in commemoration of the great radical thinker, who was, not surprisingly, an icon of the entire movement. He was conspicuous in the demonstrations against the stationing of the American submarines bearing Polaris nuclear missiles in Holy Loch on the Firth of Clyde, his song *The Glesca Eskimos* (suggested by the US naval commander Lanin's description of the protesters as 'a bunch of Eskimos') becoming a signature-tune of the movement. Blythman was also a leading figure in the folk-song revival of which Hamish Henderson was the unchallenged mainspring. Fittingly for a poet of social protest, his poetic idiolect makes no compromise with traditional Scots but is determinedly radical and modernistic, combining archaisms with suggestions of contemporary urban basilect in both spelling and vocabulary. In *Whit Wey's the Road?*, the pathos of the scene, underlined by the commonplace vocabulary and what in another context would be dangerously maudlin repetition of 'wee bit . . .' is raised to dignity by the steady iambic tread of the verse. The ambitious, imaginative and metrically highly accomplished *Brig o Giants*, in the true spirit of both the Scottish Renaissance and the ideals of international socialism of the period, uses three iconic monuments of industrial and technological achievement as symbols for a new world in which Scotland will resume its place as a leader in those fields. *Til the Citie o John MacLean* and *Scots wha Hae* contrast with those two in using a more allusive and cryptic style and a denser and more demotic Scots for powerful satirical attacks on the contemporary state of the nation: the titles carry obvious loading, the first emphasising the contrast between the squalor and meanness of industrial Glasgow with the ideals represented by MacLean, and the other suggesting a call to arms in the vein of Burns' song, the metre of which is suggested by Berwick's poem.

Hamish Henderson (1919–2002)

The life and achievements of this extraordinary man—soldier, poet, singer, songwriter, scholar, essayist, folklorist and political activist—cannot be summarised in a short note. One aspect of the sheer range and scope of his impact on the Scottish intellectual and cultural scene is that his Scots poetry, the reason for his place in the present anthology, is a relatively small part of his life's work: most of his original poetry is in English, including his masterpiece *Elegies for the Dead in Cyrenaica*. And the issue of 'original' poetry at once leads off at a tangent: Henderson's work includes adaptations and elaborations of folk songs and poems, and songs written to existing tunes: as with sections of Burns' oeuvre, disentangling his own contribution from his source material is virtually impossible—as well as uncalled-for, since the result is wholly individual. Born in Blairgowrie, he absorbed the rich folk culture, Scots and Gaelic, of the area (he was one of the last native speakers of Perthshire Gaelic); and an early move to Somerset, in a region which also had a lively local culture, extended his familiarity with traditional song. One of the central aspects of his later work as a folk-song collector was the demonstration, and bringing to public notice, of the scale, the quality and the enduring vitality of Scotland's folksong tradition, especially among the travellers; another, made possible by his international experience and familiarity with several languages, was the clarification of Scotland's place in the common folk culture of Europe. His war service in Sicily and mainland Italy not only was itself of sufficient distinction to result in his personally supervising Italy's surrender on 29 April 1945; it also brought him into contact with the corpus of Army ballads, with the popular song culture of Italy, and with the writings of the Italian Communist thinker Antonio Gramsci, thereafter a major influence on his work and thought. In the post-war years, one of his achievements was to be a founding member of Edinburgh University's School of Scottish Studies, in which he later held a permanent post; another was to initiate an annual event called the People's Festival Ceilidh, held in Edinburgh as a sort of radical counter to the official Edinburgh Festival. These Ceilidhs gained an enthusiastic following, and were the ground in which a dynamic revival of folk song, allied with the political protest song movement which was then gathering strength, was able to flourish. Henderson was also a tireless campaigner for nuclear disarmament, abolition of apartheid in South Africa, and (needless to say) Scottish home rule. He is often bracketed with MacDiarmid as one of the two most influential figures in the entire field of twentieth-century Scottish literature; but it is characteristic of the Scottish cultural world that those two mighty figures were in fundamental disagreement, Henderson's belief in the oral folk tradition as a fertilising influence on formally-composed poetry being in direct contradiction to MacDiarmid's belief in a literary language enriched from dictionaries and earlier poetry. Of both it can be said that their influence, enormous during their lifetimes, is still a seminal force on Scottish culture years after their deaths. The poems chosen here reflect the multifarious components of Henderson's art as well as his linguistic diversity. The scathing, ironically titled *Billet Doux*, a characteristic wake-up call directed against the apathy of Scottish cultural life (a target for many other poets) suggests the tone of a mediaeval flyting more than does *The Flyting o' Life and Daith*: the latter has obvious mediaeval antecedents, but in debate poetry rather than true flytings. A sense of timelessness, rather than antiquity, is conveyed by the endlessly repeated alternating refrains and the preponderance of concrete nouns referring to items with strong and unchanging symbolic force. *Goettingen Nicht* ironically states the thoughts aroused by a war-ruined town on a bitterly cold night in simple syntax and almost nursery-like metre. Emotive Scots words (conspicuously, one is present in the last line of each stanza) contribute to the menacing tone. The two later poems were prompted by specific events of 1972. Mary is Mary MacDonald, wife of the novelist and ardent nationalist campaigner Tom MacDonald (Fionn Mac Colla), at whose invitation Henderson crossed the Meedie (the Meadows, an extensive park of which one edge adjoins the University area) to attend a reception celebrating the twenty-first anniversary of the School of Scottish Studies; and Stuart is the poet, novelist and fellow folk-revivalist Stuart MacGregor. Both poems are quasi-Burnsian in their verse form and (particularly the second of them) their vocabulary: *To Stuart* is straightforward pastiche-Burns in its celebration of convivial drinking. *Epistle to Mary* is more fanciful in its use of humorous rhymes: the theme of the poem is an assault which took place in the Meadows and gave rise to exaggerated suggestions in the local press that the area was chronically unsafe; and the jocose tone of the poem satirically ridicules the suggestion.

Alexander Scott (1920–1989)

Born and educated in Aberdeen, Scott like William Tait was raised speaking one of the most distinctive and best-preserved of regional Scots dialects: unlike Tait, however, he did not use it as his medium; the influence of Aberdeenshire Doric being limited to the use of an occasional word or rhyme. Except during the War years, during which he was awarded the M.C. for distinguished service with the Gordon Highlanders, Scott's career was spent in academia, as a lecturer at Edinburgh and later Glasgow Universities. One of his achievements was the establishing of a Department of Scottish Literature at Glasgow: incredibly, still the only one in any Scottish university. Besides his well-attested gifts as a lecturer, he produced critical studies and biographies of other Scottish writers and a Saltire Society selection from the poems of his own sixteenth-century namesake, edited the literary magazine *Akros* and established it as a main outlet for new Scottish writing, and campaigned vigorously for more attention to Scottish literature on school and university curricula. As a Scots poet, his literary idiolect is one of the most individual of the major Renaissance makars. The phonaesthetic potential of Scots is well known and frequently exploited; but Scott more than almost any other poet of the modern period (a comparison with Dunbar suggests itself) not only chooses individual words for their sound as well as their sense but arranges them into patterns of alliteration, assonance and internal rhyme of truly remarkable elaboration. The finest example of this is his long poem *Heart of Stone*, written for a television broadcast in which it was read to accompany a visual journey into and through Aberdeen, where every line is adorned with intricate sound patterns. *Coronach* exemplifies his technical skill in its consistent use of pararhyme (rhyme on the initial and final consonants but not the vowel), a device rarely used in English or Scots and associated, the reminiscence being no doubt intentional, with the First World War poet Wilfred Owen. In a contrasting mood, *The Gallus Makar* celebrates MacDiarmid in a sequence of rapidly tripping verses, the central image of the white rose recalling his four-line lyric of 'the little white rose of Scotland'. *Haar in Princes Street* shows Scott's technique of selecting and arranging emotive and phonaesthetically expressive words at its most highly developed. *Smochter* and *flirn* are instances of distinctively North-Eastern words; *loons* is apparently used in the local sense of 'boys', with its suggestion of inadequacy and immaturity. The title of *Mouth Music* is suggestive: in Gaelic *puirt a bheul*, the words, even when meaningful (characteristically much of what is sung consists of meaningless syllables) are lightweight lyrics devoid of profound significance, their function being solely to allow the singer to produce the required melody and rhythm to accompany a dance. In this poem, though the verbal content is far from negligible, the value inheres in the patterns of sound and rhythm: this is a clear case of poetry as music. Different again is *Dear Deid Dancer*, where the commingling of traditional, literary and demotic Scots and contemporary popular slang, the jigging rhythms and the grotesque trick rhymes combine in a riotous verbal extravaganza. The world of popular entertainment features prominently in Scott's poetry: the mood is often satirical, but in *Grace Ungraced* the sudden change of metre as the focus shifts from Grace Kelly's glamorous performance in a classic film to vicious guerrilla warfare in Lebanon forcefully emphasises the contrast between art and reality.

William Neill (1922–2010)

Neill was born in Prestwick, Ayrshire: unlike George Campbell Hay his acquisition of Gaelic, in which he became a poet of high distinction, was in middle life. Growing up in a farming culture where the dialect of Burns was still very much alive (both are vividly evoked in *Kailyard and After* and *Drumbarchan Mains*), he joined the RAF in 1938 and served in the War, subsequently proceeding to take a degree in Celtic Studies at Edinburgh University and a post as a secondary school teacher in Galloway. Neill was a prolific poet in all three of Scotland's languages, an accomplished translator from, among other languages, Old Irish, and like many of his literary confrères an active campaigner for a greater recognition of the national languages and cultures in the educational field. One of the keynotes of his life's work is his perception of Scotland as a cultural unity in which the barriers of incomprehension and hostility between Highlands and Lowlands have been deliberately exaggerated through motives of divide-and-rule, resulting in a demoralised nation where contact with the great achievements of the past has been lost. *Kailyard and After* and *Drumbarchan Mains* in different ways convey regret for the loss of the traditional farming culture; but this is superficial compared to the fall into oblivion of the nation's whole history. In an essay on George Campbell Hay and his work he memorably referred to 'the dim, miserable little spiritual desert that is modern Scotland': the fiercely satirical poetry which this perception drew from him, however, is varied with poetic meditations on the beauty of the land and the greatness of its people in the past—and, at least by implication, potentially again in the future. Not only by the fact of his writing in all three national languages but in his wide-ranging poetic evocations of the history and topography of Scotland, Neill is one of the most noteworthy healing agents in modern Scottish literature. The language of his Scots poetry is firmly grounded in his ancestral Ayrshire dialect, archaisms and neologisms being much less in evidence than among many of his contemporaries. The plain and hard-hitting quality of the language is evident in the understated satire *A Lament for Alba Moroon* (Gaelic *Alba mo rùn*, 'Scotland my beloved'). In a different vein is *The Flyting of Jamie and Seumas—A Linguistic Problem.* Here the deep-rooted Highland-Lowland opposition is examined through comedy, in a flyting between two speakers with the Scots and Gaelic forms of the same name. The references to Scots poets are easily recognisable: in 'Seumas's' listing of their Gaelic counterparts, 'Sorley, Seoras, Ian, Rory' are Neill's contemporaries Sorley Maclean, George Campbell Hay, Iain Crichton Smith and Derick Thomson, and later 'Duncan o the Sangs' is Duncan Bàn MacIntyre (1724–1812). Though the poem begins and ends with the laughter-provoking argument on whether Lowlanders should wear Highland dress, it is observable that in the course of the argument each speaker, however grudgingly, acknowledges the worth of the other's ancestral stock and its historical and cultural achievement; and though the language is rich

Lowland Scots, the verse couched in the most iconically Scottish of stanza forms and the trick rhymes worthy of Fergusson or Burns, it is the Highlandman who has the last word!

David Purves (1924–2014)

As poet, dramatist, founder-member with J. K. Annand of the Scots Language Society and successor to him as editor of its journal *Lallans*, Purves was over many years an energetic presence on the Scottish literary scene; besides, in another capacity, making a distinguished contribution to research in the field of environmental pollution. The spelling of Scots was a topic on which he held strong convictions: one of his achievements in the Scots Language Society was a series of consultations leading to the adoption by the Society of a set of 'Recommendations for Writers in Scots'. Some idiosyncratic features are visible in his own spelling, notably an unhistorical and unetymological form *the'r* for the demonstrative 'there' used, in accordance with Scots grammar, without *is* or *are*: '. . .the'r siller in't for houdie craws'. His plays, based on traditional fairy-tales, utilise a fluent, realistic Scots, in which the status and the viewpoints of the various characters are suggested by skilful register modulations. His preference for a Scots based on actual speech emerges with arguably less success in his translation of *Macbeth*, where the linguistic grandeur of the original is wilfully sacrificed to quasi-colloquial realism. The Scots of his poetry is likewise balanced towards the spoken vernacular, archaic and recondite words being less in evidence in his work than in that of many of his contemporaries. This realism is unmistakeable in *Hard Wumman*, where the style and register aptly underpin the portrait of a tough and self-sufficient woman of a past age. *Resurrection* combines the classical overtones of unrhymed iambic pentameter, appropriate to the dignity of the opening historical reference, with a somewhat more ornate register in which a selection of literary words is integrated with those from common speech. The title *Breirielaw* is the name of a hillside in the area of Purves' native Selkirk where a graveyard is located; and his ability to express an emotionally potent statement with extreme economy is illustrated by this starkly simple ballad-like poem.

Alastair Mackie (1925–1995)

Mackie was born, raised and educated in Aberdeen; and whereas his fellow citizen Alexander Scott shows some influence of the rural dialect in the language of his poetry, Mackie draws on the urban basilect: he is in fact the first and so far the only major poet to make literary capital of the fact that Aberdeen now has a distinctive city speech such as arose long ago in Glasgow. On graduating from Aberdeen University, which he entered after a period of wartime service in the navy, he took up a teaching post in Stromness; the landscapes and seascapes of Orkney providing the inspiration for some of his earliest poetic compositions. In 1959 he moved to a new teaching position in Anstruther, but deteriorating health and increasingly severe fits of depression, the latter exacerbated by the ever more intrusive interference of management bureaucracy in the teaching system, forced him to retire at the age of fifty-eight. His mental and physical infirmity became increasingly severe during the remaining years of his life; but no more than William Soutar or George Campbell Hay did he allow this to impede his work as a creative writer. Many of his poems were never published during his lifetime. As is clear from a first acquaintance with his Scots poetry, the language in which it is written is much more firmly rooted in the everyday vernacular of the urban working class than that of many of his confrères: the vernacular, however, of a period, and a city, in which the traditional vocabulary had not suffered any serious degree of attrition. In what might, but should not, be seen as a contrasting feature to this, his poetry matches that of any other Renaissance figure for erudition: references to and verbal echoes of great figures from European literature of all periods abound in his poetry; and his translations, from French, Italian, Russian and Latin, are among the finest in modern Scottish literature. A common theme in his poetry is the persistent efforts of the education system to obliterate the Scots tongue, in defiance of which 'the auld wirds still come back'; and a curiously persistent and profoundly suggestive paradox is that he frequently writes with seeming pessimism of the devitalised state of the language while using it himself for poetry of great intellectual depth and emotional intensity: *Chateaux en Écosse*, in the present selection, is a notable example of that, the ironically questioned association of the language with a past age being emphasised by the use of a markedly local form *Fit saa ye there?* in the quoted speech of the speaker's granny. His relationship with MacDiarmid, both literary and personal, was fraught (the master poet was determinedly unhelpful, even discourteous, towards Mackie and his poetry) but productive: as with Soutar and others, his engagement with MacDiarmid resulted in an admiring but critical attitude receiving fine poetic expression. The early poem *The Shepherds* is visibly influenced by MacDiarmid in its juxtaposition of cosmic imagery with down-to-earth vocabulary; more than twenty years later in *In Memoriam Hugh MacDiarmid* he again recalls the other's overarching vision. *On Brinkie's Brae* makes subtle use of alliteration and vowel harmony, as well as specific onomatopes, to elaborate on its thematic evocation of the sounds of nature. In *Pietà* and *Weet Kin*, the titles require elucidation, though for different reasons: a 'pietà' in art is a representation of Mary with the body of the crucified Christ, implicitly equated with the heartbreaking image from the Vietnam war which the poem evokes; and 'Weet kin' means 'kind of wet', 'slightly wet'; in pronunciation (as it still could readily be used) the second word would have no emphasis.

Eric Gold (b. 1927)

Gold's single volume of poetry, a slim pamphlet, is the work of a poet for whom the Stewart period is a principal source of inspiration. The regular and finely crafted verses of *Scottish Spearman afore Flodden*, besides showing a high degree of technical skill, recreate the Burnsian image of a downtrodden but doggedly resilient persona in a different historical period. The language, lexically dense but drawing almost entirely on the native Germanic word-stock, vividly evokes the speaker's preoccupations and forebodings and suggests their timelessness, besides emphasising his 'common man' status. The fact, obvious to the reader, that the speaker will die only minutes after expressing these thoughts adds a poignant irony. The disastrous battle is the implied subject of the pastiche-macaronic *Dunbar's Maen*. Historically, there is no mention of Dunbar in any records after 1513, but the possibility that he fought and died at Flodden is unsubstantiated by any positive evidence; and the imaginative dramatisation of his thoughts in the days following the battle draws on the mediaeval tradition of combining Latin and the vernacular (cf. Dunbar's *Testament of Master Andro Kennedy*). A complex irony arises from the fact that the free verse and disjointed grammar is uncompromisingly modernistic, conflicting with the archaism of the language. The meaning of the Latin is: 'I will go in to the altar of Morpheus [the god of sleep], to Morpheus who cheers . . . Morpheus, since you are my strength, why have you repelled me, and why do I continue . . . while . . . afflicts me? [*Egit* is not a Latin word but a deliberately absurd spelling for 'idiot' as pronounced in vernacular Scots: 'eed-jit'.] Cleanse my heart . . . Morpheus, have mercy [*Kyrie eleison* is Greek for 'Lord have mercy'] . . . praise to you . . . Morpheus, give them eternal rest [strictly speaking the name should be in the vocative case here] and let eternal [darkness] cover them [*mirkeat* is concocted by adding a Latin verb subjunctive ending to a Scots word.]'

George Todd (1927–2009)

Todd's degree, from Glasgow University, was in the unusual pairing of English and economics. The latter was the basis for the greater part of his life's activities: by profession he was a marketing consultant, playing an important advisory part in the field of Scottish industry and commerce. It was after retiring and moving to Spain that he developed his literary talent as his principal occupation, becoming a columnist for the English-language newspaper *Sur*. Nonetheless, the poetry and short stories which he had produced while living and working in Scotland had earned him a place among the Renaissance makars. His spirited and linguistically inventive contributions to the anthology *Fowrsom Reel*, of which *Weeda's Sang* is one, show echoes of the ballads in their use of refrains and repeated lines, and of Stewart-period poetry in a vocabulary including learned and fanciful words; but are also thoroughly modern in their subversive and satirical tone. *Weeda's Sang* shows some characteristically idiosyncratic language features: *dwan* appears to be an invented past tense for *dwine*, quasi-phonetic spellings such as *nir, wir, bit, ah* represent a misguided attempt, common in this period, to suggest a vernacular pronunciation out of keeping with the formality of metre and vocabulary. Countering this, it demonstrates the poet's technical skill in handling the unusual verse form; and the imaginatively presented figure of a woman for whom widowhood has proved a liberating and empowering factor could be seen as a distant (and much tamed) echo of Dunbar.

Duncan Glen (1933–2008)

The reputation of the industrious and multi-talented Duncan Glen, one of the pillars of the Scottish cultural scene for most of his active life, rests on many foundations besides his poetry: his work as long-term editor of the magazine *Akros*, which provided an outlet for both creative writing and criticism over fifty-one issues from 1965 to 1990, his founding of Akros Publications from which appeared a long series of new works by various writers (often with Glen's active encouragement), his own published criticism including the landmark study *Hugh MacDiarmid and the Scottish Renaissance* (1964), his editing of various anthologies of poetry and essays, his collaboration with Sicilian and mainstream Italian poets in several projects of mutual translation; and outwith the literary field, a history of typography (his professional specialisation), histories of his home town of Cambuslang and other places in Scotland, and an impressive array of bookplate designs and visual art work in a range of media. As a Scots poet, his hallmark is a fluent and realistic use of a Scots firmly based on central-belt vernacular: despite his championing of MacDiarmid and support for the Renaissance movement, he did not as a rule venture into the more recondite areas of the language favoured by many contemporaries. This combined with his penchant for free verse makes for the surface lucidity through which often powerful and moving ideas are conveyed; though the reverse of the same coin is an undeniable tendency to lapse occasionally into over-literal and pedestrian expression. The teasing ambivalence of *The Heid o Hecht*, at first sight a melancholy meditation on the loss of the culture of the Stewart period but also an affirmation of the enduring strength of the native landscape, is effectively underpinned by the plainness of the language; and in *My Faither*, the homely and familiar details itemised in Scots pave the way for the masterstroke of a single-word language shift at the close to illuminate the total and shocking difference of a corpse from the living man.

George Hardie (b. 1933)

Hardie's native speech, and the basis for his Scots poetic idiolect, is the working-class demotic of Hamilton in Lanarkshire. While living and working there until the 1960s he wrote poetry in both Scots and English, some of which (including the poem selected here) appeared in a slim pamphlet in the Parklands Poets series. With Walter Perrie he founded the literary magazine *Chapman*, and served as one of its editors in its initial stages. He moved to Winchester, where he still lives; but a short period of work in Inverness in 1990 prompted him to resume poetic composition in Scots: a pamphlet published in 2007 has earned him some reputation in his adopted domicile. His practice is often to express a socialist message in free or almost-free verse, using as his medium a Scots rooted in working-class demotic but augmented with words from a learned register taken immediately from English but in most cases with an international currency, and from the traditional Scots word stock. *Lanarkshire Landscape* uses this medium to evoke a bleak picture of the ruined countryside in a former coal-mining area and the danger of the miners' lives.

Ellie McDonald (b. 1937)

A Dundonian by birth, Ellie McDonald employs a lexically rich Scots generally avoiding the shibboleths of her native urban dialect but maintaining a lively colloquial idiom, the overtones of which are in keeping with the ironic and critical vein frequently found in her poetry. In contrast to this, another keynote of her work is the expressive power inherent in the Scots tongue: the first line of *Pathfinder*, 'I fash mysel about my leid', states this theme, and the almost mystical tone assumed in the quest for the language and the ancient store of wisdom and creative power which it holds is powerfully evoked by the use of a traditional Scots contrasting with the modernist techniques of unstructured verse and free association of ideas. In *Itherness* the same theme of a precious and intimate part of one's being almost, but not entirely, lost and buried under a mass of externally imposed impressions is conveyed by the same means. The tribute to Hamish Henderson associates the great songwriter and folk-song collector with the same idea, the need to recall from the depths of memory and restore to active life the culture associated with the Scots leid. Ellie MacDonald is one of the most individual among the women poets of this period.

Donald Campbell (b. 1940)

Campbell was born in Caithness, and its ambience is occasionally visible as an influence on his work: a notable example is his play about the fishing communities, *The Widows of Clyth*. Edinburgh, however, is where he has spent most of his life, and the city provides the setting for many of his poems: *Arthur's Seat* and *Cougait Revisited* in the present collection being such cases. His contribution to modern Scottish drama is at least as important as his poetry in establishing him as one of the leading figures in the literary field: he was active for many years in Edinburgh as actor, director and founder of the Old Town Theatre; and he has written over twenty plays for stage, radio and television and monographs on the history of the Edinburgh Lyceum and the Scottish theatre from the eighteenth to the mid-twentieth century. The language of his Scots poetry not only varies with the theme and tone of each individual poem but has been modified through the years, partly in response to the changing status of Scots both in literature and as a community speech: Campbell has always been keenly interested in the ongoing controversies on the actual and desirable position of Scots in the national life, and on the relationship between creative writing and ideological aims for the language. As he explains in the preface to his *Selected Poems 1970–1990*, the language of previously published poems in this collection has been made somewhat more uniform than was the case when they originally appeared. (For the present anthology, the earlier version has generally been selected.) His poetic vision, sometimes bleak and melancholy though often leavened with ironic humour, is expressed through a range of verse forms including traditional metres and free verse, and his Scots shows an equally wide range of registers: one of his hallmarks is the adoption of a 'flyting' vein drawing on the vituperative power of the vernacular; another (exemplified notably by *A Lang Sleep Ower*) is a frequent use of onomatopes. Reminiscences of Stewart poetry are rare in Campbell's work, but the unmistakable echo of Dunbar's *Schir, ye haif mony servitouris* in the middle of *Arthur's Seat* is an exception.

Kenneth Fraser (b. 1944)

A Glasgow University graduate and for most of his career a librarian at St Andrews, Fraser has been active in the promotion of the Scots tongue and Scottish literature in general, serving on various committees including the Scottish Parliament's cross-party group on Scots. His poetic output is sparse, but the sonnet included here is a notable piece of writing: the strictly prescribed form is handled with impeccable accuracy; the realistic vernacular Scots is fluent and thoroughly convincing (including the opportunity taken for an effective joke rhyme), and the imaginative simile both witty in itself and clearly applied.

Kate Armstrong (b. 1944)

Kate Armstrong has lived and worked in various parts of Scotland (most recently before her retirement, as a primary school teacher in Dundee). Her career as a poet began fairly late in life; but it gave rise to a body of work characterised by a finely tuned skill in selecting the Scots *mot juste* from whatever dialect or register. In *Pantoum fer Winter* ('pantoum' is the name of this verse form, Malay in origin and rarely imitated in Western poetry, in which the first and third lines of each four-line stanza form the second and fourth of the following), interweaving alliteration, inexorably pacing four-beat lines with frequent stress on adjacent mono-syllabic words, compressed and disjointed syntax, phon-aesthetically potent words and images with a high emotional loading combine in a finely wrought and highly charged poem. *This is the Launn* illustrates the same skill in selecting and placing expressive words to embody a meditation on Scotland's physical and spiritual place in the world, ending boldly by descending suddenly from the high-level imaginings of the body of the poem to the infamous gunning down of protest demonstrators by the police in Beijing. The lexical richness of her poetry is shown in its full glory in *Mary*, with the abundance of words for noises and movements (*fimmer an flirr* is a positive gem).

Daibhidh Mitchell (n.d.)

Mitchell is a graduate of the Divinity School of Oxford University, and his poetry is unmistakeably that of a classical scholar. A few of his poems are translations from Latin; and his output abounds in reminiscences of classical, Scottish, English and Celtic literature: his vocabulary and orthography, too, deliberately recall the language of the Stewart period in accordance with the familiar principles of post-MacDiarmid poetry. His Highland background also contributes to his poetic persona: it is visible not only in the spelling of his name and the use of an occasional Gaelic word, but in the definite Gaelic aura that pervades some poems: an example from the present selection is *Rann* ('stanza'), with its distinctive metrical form and the appearance in each verse of a metaphor traditional in Celtic poetry. Though this may be accidental, too, it is observable that the line *my girl o the reid-gowd hair* means the same as the opening line in the first poem of Sorley Maclean's *Dàin do Eimhir*. A sort of fraternal bonding with the other Celtic branch is suggested in *For My Host*: Ystalyfera is a town in South Wales with a strong Welsh-speaking tradition and Tawe a river which runs through it, *penillion* is a classical Welsh art form of improvised verses sung to a harp accompaniment, and *Llwyin On* (recte *onn*) is the Welsh title of the song known in English as 'The Ash Grove'. By contrast, the theme of Highland–Lowland (or Gaelic–Scots) rivalry—the question which of the two is the more truly 'Scottish' and how (if at all) a reconciliation between them can be accomplished—is sent up in *Mod and Gammon*. The verse form of this, its abundance of joke rhymes and its humorously pugnacious tone recall George Campbell Hay's *Kailyaird and Renaissance*; the satirical attack on the superficial emulation of Highlanders by Lowlanders or vice-versa is reminiscent of William Neill's *The Flyting of Jamie and Seumas*; but the specific theme of the inability of elaborately contrived but (by implication) superficial poetry to express the emotion of love is strongly individual. Love is a central theme in Mitchell's small oeuvre (his first booklet is entitled *Luvesangs and Ithers*), and there is an element of paradox in the fact that he freely used the literary methods and mannerisms which in his poem he affects to criticise in Sydney Goodsir Smith and others (*silken lamp o lemanrie* is a line from *Under the Eildon Tree*). This little-remarked poet is no negligible figure in the Renaissance corpus.

John Samuel (n.d.)

The last poet included here is one of the many whose sparse and scattered outputs include one or two poems that entitle them to a foothold in the roll-call of Renaissance poets. *Hership* combines strongly emphasised rhyme and alliteration, an insistent rhythm similar to that employed by Sydney Goodsir Smith in *Prolegomenon*, a rich diversity of vocabulary items including many onomatopes and words suggesting violent action, and an imaginative range of similes and metaphors, in a poem of remarkable energy and force. The sensory vividness of the poem, and the final metaphorical 'blast thats fowrtie tyme mair snell' illuminating the hyperbolic application of the title word to dead leaves blown in the wind, are countered by an obscurity arising from the uncertain nature and identity of 'Duntabout' and 'Sannie Daw'. (*Duntabout* suggests heavy and irregular action, but is also attested as meaning 'a servant who is roughly treated, and *dunted about* from one piece of work to another', and *daw* can mean a lazy, slovenly person as well as its literal sense of 'jackdaw'.) Samuel's surehandedness with the Scots tongue in this poem merits comparison with that of many more prolific and more widely reputed poets.

Glossary

I have not thought it necessary to gloss *o* as 'of', *wi* as 'with', *dae* as 'do', *hae* as 'have' and the like; nor to include the frequent examples of familiar correspondences such as *doun—down, hame—home, muin—moon, drap—drop, gress—grass, aa—all, nicht—night*: no reader acquainted in even the slightest degree with Scots will require to have these points expounded. A more serious procedural decision was necessitated by the fact that since Scots has no fixed orthographic system, writers have always been at liberty to use spellings intended to suggest a specific dialectal or sociolectal pronunciation, archaic spellings, eye-dialect, or forms simply reflecting a personal conviction of how a word or set of words 'should' be spelt. The situation is further complicated by the attempt made in the course of the period covered by this book to introduce some degree of principled order to Scots spelling, with the devising of the Makars' Scots Style Sheet: as one readily visible illustration of this, MacDiarmid's earlier poetry abounds in apostrophes (*o', no', a', gi'e, seekin'*, etc.), a practice decisively abandoned by most of his successors. The result of all this is that many words appear in the book with more than one spelling. My practice, as far as possible, has been to list any given word in all or most of the forms in which is found. A still more complex issue is the frequent use by the poets represented here of rare, obscure or obsolete words, of words in assumed senses differing from their normal usage, and of outright inventions. This was an integral part of their technique and is one of the characteristic features of the Scottish Renaissance: the problem which it presents, however, is that the exuberant linguistic creativity of the Renaissance poets sometimes resulted in passages where a word is used in an idiosyncratic or a simply erroneous sense, leaving the intended meaning uncertain. In all cases, the meaning given for words in the glossary is, in intention at least, that which they have in the poems in which they are used: with the vast majority of words cited there is no dubiety, but occasionally there *is*; and in such instances I have given what I take to be the implied sense of the word: it goes without saying, after thorough consideration of the relevant material—if any—in the *Scottish National Dictionary* and the online *Dictionary of the Scots Language*, as well as any glossary provided by the poet. Ambiguities, idiosyncrasies, inventions and errors are not noted as such in the glossary, but attentive readers will no doubt observe some for themselves.

aa come—in one's right mind
aagaits—everyplace, all over the place, in all directions
abaysit—discouraged, cast down (arch.)
a-fleur—flourishing
agley—squint, awry, off course
aiblins—perhaps
airt—(n.) place, direction; (vb.) aim, head towards
airtless—aimless
aizles—red-hot embers
Alba—Scotland
allar—path in a garden
alowe—aflame
amadan mhòr—great fool (Gaelic)
amplefeyst—sulky humour
antrin, auntran—occasional
anunder—under
arles—advance payments, (hence) portents
asklent—squint, askew
atour—all round
auld-farrand, -farrant—old-fashioned
aumers—embers
aumrie—cupboard
aureat—golden, gilded
auss—ash
ayebidan—everlasting
backend—autumn
baffies—slippers
bairge—burgeon
bairnheid—childhood
balefire—beacon fire, bonfire
ballant—ballad
bambaizement—confusion, puzzlement
banshee—a female spirit whose shriek warns of an approaching death
bap—bread roll
barkie—scabbed
barm—ferment, foam up
bauchle—shamble
bauchles—clumsy or ill-fitting shoes; slippers
baukiebird, beukieburd—bat
baur—joke, hoax
bawbee—small coin
beal—fester, suppurate
beaukit—broken, twisted
begrutten—tear-stained
beild—shelter
bellyflaucht—(lit.) flayed with the skin in one piece; here=freely swirling about
ben—lit. in the back room; within, beyond
benmaist—innermost
benwart—inward
besom—broom
bestial—cattle, domestic animals
bewray—betray (archaic)
bid tae—had to
bield—shelter
bien—cosy, comfortable
bigg(in)—build(ing)
bing—heap (of soil, stones, etc.; or specif. of slag from a mine)
binner—move violently and noisily
birk—birch
birl—spin, whirl
birr—force, energy
birss—keen, sharp (of weather)
blad—(n.) a big slice or piece; (vb. 1) beat, batter; (vb. 2) stain, contaminate
blaes—clay shale
blaffy—blustery
blash—splash
blasoun—coat of arms

blatter—(n.) a rush, a violent fall; (vb.) rain blows on, pelt down (rain)
blaw—grow, bloom
blawp—belch
bleffart, bluffart—blast of wind
blent—glanced
blether—(vb.) talk idly, inconsequentially or foolishly; (n., in pl.) nonsense, idle talk
blindrift—snowstorm
blinter—glitter
blitter—talk rapidly and senselessly (*bliutterin' blatterin'*—a concocted intensive reduplication)
blue-gers—sedge grass
blyber—drink excessively
blye—blythe, cheerful
bodach—old man (Gaelic)
boggle—shake, quake
bogle—ghost
boll—a measure of grain etc.
bool—a marble; anything rounded or curved
boomer—bomber
bore—a break in the clouds
borneheid—headlong, impetuous
boss—empty
bothie—sleeping quarters for farm workers
bouk—body; **big-boukit**—large-bodied; i.e. pregnant
bourach—crowd (n. and vb.)
bowsie—bogey-man
brack, bruck—wreckage
brae—hill, hillside
branks—halter, bridle
brash—bruise, injure
brattle—make a noise
bree—broth, soup; (short for *barley bree*) whisky
breel—rush, charge
breem, brim—fierce, keen
breenge, breinge—charge, rush headlong
breir(d)—put forth fresh shoots, grow, flourish
brisket—breast
broch—burgh
brochan—gruel
brod—prod, prick
brodheid—nail
broukit—dirty, soiled
bruckle—fragile, brittle
bubble—weep noisily
buckie—whelk, whelk shell
buirdly—stalwart, powerful
bumbazed—confused, puzzled
bum, bummle—hum, buzz
burd alane—all alone
burn—small river, stream
busteous—rough, fierce
butt—lit. in the front room
byke—bees' or wasps' nest
byock—retch
by-ordinar—extraordinary
byre—cowshed
cailin—young girl (Gaelic)
caird—tinker
callant—boy, youngster
caller—fresh, pure
camst(r)eerie—perverse, obstinate, wilful
cannie—careful
canniness—shrewdness, caution
cant—rush, charge
cantrip—magic
canty—cheerful, friendly
carline—old woman; witch
carnwath-like—twisted, distorted
cauldrid—chilling
caulkstane—limestone
causie—pavement
celicall—heavenly
ceòl mór—great music (Gaelic)
chaft—cheek
chancy—lucky, auspicious
chap—knock (at door etc.); 'chappin'—being unable to make the next play in dominoes
chaumer—chamber
cheil, chiel—man, chap, fellow
chesbow—poppy
chowks—cheeks
chuckie-stane—pebble
clairt, clart—patch of mud, dirt
clanjamphrie—crowd
clapper—clatter (specif. of the hooves of a galloping horse)
clarsach—harp

clatch—splash or squelch in muddy ground
clatt—scrape clean
clatter—idle talk, gossip
claught—grasp
cleck—lay an egg
cleckin-stane—any stone that fragments into small parts on exposure to the atmosphere
cleed—clothe
cleuch—gorge, ravine
cloot—(piece of) cloth
clort—defile, stain
clorty—dirty
close—passageway between buildings
clour—a blow, a bang
clout—rag, piece of cloth
Cloutie—Satan
clunter—walk with a heavy noisy tread
clype—tell tales
coag—peep slyly or cautiously (Shetland)
coble—a small rowing-boat
coft—bought
cog—small wooden tub or bucket
collogue—chat, converse (n. and v.)
connach—wreck, destroy
coorach—coracle (Gaelic *curach*)
coorie, courie—nestle, cuddle, crouch; cower
corbie—crow
coronach—dirge
corrie—hollow in a hillside, or between hills
coup—overturn
couthie—friendly, sociable
cowk—retch
cown—lament
cowp—(n.) rubbish dump; (vb. intr.) tumble, fall over; (vb. tr.) knock down
crack—chat (n. and vb.), conversation
craig—(1) neck, throat; (2) rock, rocky hillside
craigie—rocky
craik—caw, croak
cramas(s)ie—crimson
cranreuch—hoar frost
cratan—the cold (Gaelic *cnatan*)
creel—basket; (fig.) a state of confusion
creepie—stool
creeshie, -y—fat, greasy
crine, cryne—wither, wrinkle (n. and vb.); shrink
crood—fiddle
croodle—(n.) a pigeon's call; (vb.) nestle, cuddle
croon—lament, song of mourning
crottle—crumble, disintegrate
crozie—whining, speaking in a weak, tremulous voice
crubbit—narrow, restricted
cruit—fiddle
crull—crumple
cuiflike—foolish
cushat—wood-pigeon
cuttag—small person
daff—jest, play, make light-hearted banter
dailygaun—sunset
darg—task, period of labour
daud—lump (of something)
daunder, daunner—wander, walk slowly or uncertainly
daw—dawn
dawtie—darling, pet
deid—(n.) death; (adj.) dead
deid-hole—grave
deil's buik—i.e. pack of playing cards
deil-faured—'devil-favoured', i.e. looking like the devil
deive, deeve—deafen, wear out
dern—(n.) secrecy, concealment; (vb.) hide, conceal; (adj.) secret, hidden
devall—stop (an action), give up
dicht—wipe or rub
ding (p.t. **dang**, p.pt. **dung)**—beat
din(n)le—tremble, reverberate, resound
dird—a hard blow, thump
dirdum—an uproar, commotion; a heavy blow
dirk—dagger
dirl—cause to shake or tremble; resound

disjaskit—downcast, depressed
disparple—scatter, disperse
dock—backside
dod—euphemism for 'God!'
doitit—foolish, simple, mentally subnormal
dolour—distress, grief (arch.)
dominie—schoolmaster
donnart—dull-witted
donner—daze, stun
doo—dove
doolsome—gloomy
doon-moother—pessimistic or ill-natured person
dotterel—dotard
douce—gentle, respectable, sedate
doup—backside; bottom (of a sack, etc.)
dour, doore—grim, stern, melancholy
dow—can, is able to
dow(ie)—gloomy, melancholy, sorrowful
dowf—dull, listless
dowless—feeble, lacking in energy
draigelt—bedraggled, dilapidated
draik—slake (thirst)
dree—endure, suffer
dreg—drag, pull (e.g. of tide)
dregy—dirge
dreich—dull, gloomy
drouk, drook—drench
drouth, drooth—thirst
drowie—misty
drumlie—gloomy, murky, turbid
dub—puddle
dubh—black (Gaelic)
duds—rags
duileasg—seaweed (Gaelic)
duine-uasal—gentleman (Gaelic)
dule—grief, sorrow
dullyart—dirty or dingy in colour
dunsh—bump, thump
dunt—thump, bash
dwaible—(vb.) totter
dwaiblie—feeble
dwaum—dream, daydream
dwine (idiosync. p.t. **dwan)**—decline, wither, fade away
eemist—highest
eident—industrious, busy
eilie—slip away
eldritch—unearthly, ghostly, arousing supernatural fear or horror
emerant—emerald
erd—earth (i.e. his grave)
erne—eagle
Erse—Gaelic
ess—ash
etin—giant
ettle—aim, intend, try
ettlement—recompense, fruits of one's labours
faddomless—unfathomable
fairheid—beauty
fallal—decorative accoutrement
fank—sheep fold
fankle—entangle
farrach—vigorous, energetic (Gaelic)
fash—(n.) worry, concern; (vb.) take trouble, make effort,
fashiouslyke—annoying, troublesome
fauset—falsehood
feck—most, the greater number
feckless—ineffectual, lacking strength or energy
fedderome—coat of feathers
feedom—presentiment of death
feeroch—bustle, panic
fegs—(a mild oath)
feird—fourth (archaic)
fell—(n.) stretch of upland moor; (adj.) fierce, cruel; (adv.) very
felloun—fierce, savage
ferlie, ferly—(n. and vb.) marvel; (adj.) marvellous
fey—fated to die; behaving a strange, wild manner as if under a supernatural influence
fiere, fere—friend, comrade
fimmer—scuttle, move rapidly
firie-farry—bustle, tumult, disorderly state
firk—push, jerky movement
flan(n)—gust, squall
flaucht—flash (of lightning), spark

flauchter, flaughter—flutter, flicker
flee—(fishing-)fly
fleer—mock, jeer
fleesh—fleece
flender—splinter
fley—frighten
flichter—flutter
flichteran-fedderie—flashing and fluttering (idiosync.)
flirn—grimace, twist the mouth
flirr—rush
flichan, floichan—snowflake
fluther—flutter; (in p.pt.) over-ornamented
flype—flay, turn outside-in
flyte—attack verbally, exchange insults
fog—moss
forenent, forenenst—in front of
forenicht—evening
forfeuchan, forfoch(t)en—exhausted
forforn—destitute, undone
forgether—congregate, gather together
forlane—lost, forgotten
forleit—abandon, disregard
forouten—without
forpit-met—small measure of grain etc.
forrit—forward
fou—full; drunk
founert—broken down, decrepit
fousome—filthy, stinking
fowth—abundance
fozy, -ie, foazie—soft, waterlogged, rotten; hazy, foggy
frazit—exhausted
freeth—foam, froth; mist
frem(m)it—strange, foreign
frimple-frample—onomatope for the broken, swirling surface of running water
fud—tail-end
fuff—puff, blow up, (fig.) boastfully exaggerate
fuggit—choked with moss
fullyerie—foliage
funder—knock down, demolish
furthie—bold, energetic, optimistic
fushion—abundance
fusionless—lacking strength or energy
fyke—work laboriously, take trouble
fyle—defile, contaminate
gaig—hack (n. and vb.)
gair—patch, strip
gait—road, direction
galand—archaism for 'gallant'
galant—flaunt oneself, swagger
galliard—lively, sprightly, smart
gallus—bold, daring
galluses—braces
gangrel—vagrant, tramp, vagabond
gant—yawn, gape
gar—make (cause to do s.t.)
gash—(n.) jawbone; (adj.) dismal, ghastly, deathly pale
gastrous—horrifying, unearthly
gaunch—stutter, stammer
gaup—gaze, stare
gawcie—of imposing appearance; handsome, jovial
geal—freeze
gean—cherry (tree or fruit)
gee, tak the—take offence
gee-gaw—toy, worthless or silly object
gesserant—sparkling
get—offspring
gey—fairly, very
gib—a tom cat
gilliegawky—silly, immature
gird—hoop
girn—whine, complain
gizinties—'goes into', i.e. arithmetical tables
glack—hollow between two hills
glaikit—foolish, crazy
glamarie, glamourie—magic
glaur—mud
gleg—quick off the mark, smart, alert
gleid, gleed, gluid—spark of fire, gleam
glent—gleam
glew—game

glim—gaze, peer
glink—shine
glisk—sheen, brightness; glimpse
glister—glitter
gloamin—twilight
gloss—a slow-burning fire without smoke or flames; the light or heat of one.
glower—stare, scowl
gluntow—bare-kneed, i.e. kilted
gouster—blow gustily
gove—gaze at
gowdie—gem, precious ornament
gowk, gouk—cuckoo, fool
gowl—howl (n. and vb.); void
gowp—stare
graith—(n.) furniture, equipment; (v.) equip
gralloch—disembowel
grame—anger, grief
grass—(vb.) bury
greet—cry, weep
grein—long for, yearn
greishoch—cinders
greit—weeping, tears
grue—shudder, esp. from fear or horror (n. and vb.)
grumly—gloomy, dismal, menacing
grup—floor gutter in a byre
grushie—rich, fertile, of abundant growth
guff—smell
guid-sir, guidsire—grandfather
gullie—a large knife
gurl—growl
gurly—stormy
gyte—crazy
haar—mist, (specif.) sea-mist
habber—stutter
haet—a jot
hag—marshy hollow
haigle—carry with difficulty
hain—keep
hainch—backside
hairst—autumn, harvest
hameald—belonging to home, one's own
hanlawhile—a short time
hansel—gift for a special occasion, e.g. New Year, or to a newborn child.
hantle—a few, small group
hap—wrap
harnfash—worry, concern
harns, haerns—brains
hash—a mess, a botched job
hauflin—youngster
haugh—level ground beside a river
haver—talk nonsense; (in pl. as noun) nonsense
hawse—throat
hazelraw—a kind of lichen
hech—height
hecht—promise (n. and vb.)
heeze, heist, hyst—rise up; raise up
heft—lift up
heich-skeich—reckless, irresponsible
heill—health
heirskip—inheritance
hellion—rascal, worthless person
helly—week-end, holiday or festive period
herd—shepherd
herry—harry, plunder
hidderie-hetterie—hither and thither
hinnie—honey, sweetheart
hinny—neigh
hippens—diapers
hirple—limp
hirsle, hirsel—move awkwardly or with difficulty
hizzie—flighty or frivolous girl
ho(a)st—cough
hoch—thigh
houlet, hoolet—owl
hooley—a convivial gathering
hooly—slow, quiet, cautious
Hornie—Satan
hornshottle—disorganised, disordered
horny-goloch—earwig
hotch—swarm, move jerkily, fidget
hotter—simmer
howff, houff—tavern, ale-house; place of refuge

hough—thigh
howder, howdle—limp, walk with an awkward rolling gait
howe—hollow, low-lying land
howk, houk—dig
hudder—(n.) a confused crowd or heap, (vb.) to move in such
huddered—slovenly, disorderly
humbummle—noisy, confused action
hunker—squat, crouch
hurdies—buttocks
hurkle—sit in a huddled position
hyne—(n.) haven; (adj. or adv.) far away
ice-flume—glacier
ice-tangle—icicle
ingan—onion
ingle—fireplace
ingyne—intelligence, ingenuity, ability
jake—cheap wine
jalouse—work out, seek to understand
Janiveer—January
jaud—disreputable female
jaup—splash
jenepere—juniper
jenny-spinner—crane-fly, daddy-long-legs
jink—dodge, move swiftly
jo—sweetheart
joater—fumble, flounder
jockteleg—knife
jouk—dodge
jow—ring like a bell
jurmummle—jumble
keb—thump
kedge—jostle
keek—peep
keelie—tough guy
keen—(n.) lamentation, mourning; (vb.) lament
keill—kail, cabbage
kekkle—cackle, caw
kempy-carle—old warrior
kenspeckle—famous, conspicuous, well-known
ket—matted wool
kimmer—female neighbour, gossip; a married woman
kir—wanton
kist—chest, or specif. coffin
kittle (adj.)—tricky, delicate, elusive; (vb.) **kittle (up)**—enliven, stimulate
knap—joint, knee-cap
kynricht—kingdom
kyth—appear, show
laggie—slow, sluggish
laich—low
lair—grave
laird—landowner
Lallans—Lowland; the Scots language
landbrist—action of waves crashing on the shore
langerie, langourie—dullness, boredom, ennui
lank—(vb.) make thin or emaciated
larach—ruin
laummer—amber
lave—remainder, the rest
laverock—lark
lawlie—sad, downcast
leal—true, loyal
leam—shine, glow
lear—learning, culture
leesome-lanesome—lonely
leet—heap, pile
leid—language
leifer, liefer—rather
lemanrie—bond of love
lerk, lirk—(n.) a fold, corner, crease, wrinkle; (vb.) cringe, shrink, crumple
less—lease
lether—ladder
levin—lightning
lichtlie—speak slightingly or contemptuously of
lidden—echo, resound continuously
lift, lyft, luft, luift—sky
ligg—lie
liglag—gossip, idle talk, chatter
limmer—bold, impudent, disreputable woman
link—trip, skip (*limmer-linkin*: copulation)
linn, lynn—waterfall

lippen—trust, rely on; understand
lipper—small waves; sound of their lapping
lire—flesh
lissome—graceful
loon—rascal; boy, youngster
loosome—lovely
lopper—coagulate (milk)
lowp, loup—leap
lour—frown, look menacingly
lourd—heavy
lowe—flame, firelight; (vb.) shine brightly
lown—quiet, peaceful
lowse—(vb.) set free; (adj.) free, unrestrained
lowsin-time—end of a working day
lug—ear
luggie—wooden dish or pail; milk-pail
lum—chimney (**lum hat**—top hat)
lunt—(vb.) blaze, leap up (of flames); (n.) a flame, column of fire and smoke
lyart—grey (-haired), grizzled
machair—grassy shoreland
maen—lament, complaint
Mahoun—Satan
maik—match (n. and vb.); spouse, consort (archaic)
maik, meck—small coin
maithie—maggoty
makar—poet
mappamound—world, world globe
mauch—maggot
mauchie, moochie—putrid
maukin, mawkin—hare
maut—malt, i.e. whisky
mavis—song-thrush
mazer—an ornate drinking vessel of wood adorned with precious metalwork
meikle—great
mell—(n.) mallet; (vb.) mix, combine
mense—sense
mensefu—sensible, prudent
menseless—senseless(ly)
merle—blackbird (poet.)
messan—cur
mim—prim, demure
mimp—speak affectedly
mind—(vb.) remember, remind
mirk(ie)—dark
mirlie—crumb, tiny fragment
mirligo—vertigo, dizziness
moagert—ruined, wasted
moch—damp, decayed
mockrife—mocking, scornful
moul, mool(s)—earth, soil
mort-claith—shroud
moudiewarp—mole
muirhen—red grouse
musardrie, -y—poetry; dreaming, imagination
neb—nose, beak
nebstrou—nostril
neeb—nod (from drowsiness), doze (Shet.)
neep, neip—turnip
neerday—New Year's Day
neive, nieve—fist
nesh—tender, fragile
neth—beneath
neuk—corner
niffer—barter, bargain
nirl—pinch or cause to shrink with cold
nocht—nothing
nock—clock
nott—needed
ochone—(a Gaelic expression of grief, idio. used as vb. 'lament')
onding—downpour
ontron—evening twilight
onwyte—await
oorie, ourie—dismal, gloomy, melancholy, cold and miserable
orlege—clock, watch (arch.)
orphelin—orphan
orra—outlandish, uncommon; disreputable
orsplendant—shining like gold
oufant—elfin
owercome—the refrain or chorus of a song
owerdicht—dust over
owergie—give up
owreby—over there

oxter—(n.) armpit, (vb.) walk arm-in-arm
pale—boundary
pang—press, squeeze
partan—edible crab
pawn—turf
pech—gasp, pant, breathe heavily
peenge—whine
peeny—pinafore
peerie—tiny
peisweip—lapwing
pend—arch, vault
penillion—poetry sung to an improvised tune over a harp accompaniment (Welsh)
philabeg—kilt
phraise—voluble but idle talk
pickle, puckle—little, a small amount
pillydacus—(various spellings) the boss, the head, the one in command
pitmirk—pitch dark
pleep—bird's call (onomatop.)
pliskie—trick, whim
plouter—wade or splash in wet muddy ground
plowt—pelt down (rain)
ploy—trick, prank
plutter—work aimlessly / unskilfully
poind—impound
poke—bag
polis—police; the state
ponnage—'pondage', storing of water in a pond formed by a dam: a place-name in Angus
postposuit—postponed
pouthert—powdery
powe—head
pratie—potato (Irish)
pree—taste, savour
preen—pin
press—cupboard
prile—April fool
prink—deck, make smart
propale—announce, publicise
puddock—frog, toad
puffin-lowe—leaping firelight
puirtith—poverty
pyot—magpie
quaich—shallow drinking bowl for whisky (figuratively, a pond)
quey—heifer
raik—move at speed; roam, wander
ramgunshoch—ill-mannered, ill-tempered
ramp—rear up, stand on hind legs (of e.g. a horse or lion—archaic)
ramsh—rank, coarse (in taste)
ramstam—headlong, impetuous, precipitate
randie—(n.) wild, unruly person; (adj.) boisterous, riotous
rankringin—noisy, unruly
rann—a verse or stanza (Gaelic)
rathely—promptly, quickly (arch.)
rauchen—plaid
raucle—rough, coarse-mannered
rax, wrax—stretch, strain, twist
raxter—area of barren land
redd—(n.) the rut in the bed of a river made by salmon for spawning; (vb.) tidy up, rectify
reek—smoke
reenge—range widely, wander
reeshle, reishle—rustle
reid-biddy—cheap wine mixed with methylated spirits
reik—reach
reird—roar
reithe—zealous, ardent
reive—rob, plunder
remeid—remedy
retour—return
r(h)one—roof gutter or down-pipe
rickle—a carelessly thrown together heap; **rickle o banes**—a frail emaciated person
rissle—bustle, move actively
rive—tear
roopit—hoarse
roost—boast of
rouk—reek
roun—whisper
roup, rowp—(n.) auction; (vb.) sell by auction

rout—roar
routh, rowth—abundance
rowe—roll
rowt—crowd; roar
rug(g)—tug, pull, wrench
rummle—rumble, low-pitched indeterminate noise
rype—plunder, ransack
s(h)auchle—shuffle, walk clumsily
saikless—innocent
sain—bless; cleanse, purge; heal
sairin'—sufficiency, satisfaction
sanct—saint
sant—vanish mysteriously
sark—shirt
sauch—willow
sauchtlik—peaceful
scaffie—street cleaner
scarnoch—scree, patch of loose stones on a hillside
scart—scratch; cormorant
scaur—crag, rocky summit
schene—brightness
schere—bright, shiny
sclent—sideways motion
sclenter—loose stones, scree
scliff—walk with a heavy, shuffling gait
sclim—climb
Scottisrie—Scottish literary material
scowk—skulk
scrauch—screech
scree—covering of loose stones on a hillside
screive—write
scrimpit—sparse, scant; niggardly
scrunt—grind, scrape; (pp. **scruntit**: worn-out)
scryve—write
scunner, sconner—disgust, revulsion (n. and vb.)
scunneration—source of disgust or revulsion
sea-maw—seagull
seep—drip, soak
seimlie—gracious
selkie—seal
sely—blessed
semmit—undershirt, vest
sendil—seldom
sey—wooden tub
sgornan—herring (Gaelic)
shalder—oyster-catcher
shalmillen—fragment
sharn, shairn—dung
shavie—trick, prank
shaws—woods
sheiling, shieling—a rough or temporary shelter
shennachie—teller of tales (Gaelic *seanachaidh*)
sheuch—(n.) ditch, gutter; (vb.) bury
shilpiskate—weakling
shog—shake
shurl—murmur
sib—related (by family ties)
siccar—sure
sile—blindness (arch. and rare)
siller—silver; money
simoon—(recte *simoom*) desert wind
sin-syne—since then
skaich—search, scavenge
skail—disperse, empty out, spill
skaith—harm, injury
skalrag—tattered, ragged
skar—take fright
skau—destruction, ruin
skeer—frighten; (intr.) shy away, shrink in fear
skeeter—send flying, shooting off rapidly
skeich—startle
skeely, skeily—skilful
skelloch—wail, howl
skellum—rascal
skelp—smack, blow (n.), rush on (vb.)
skelter—rush (n. and vb.), flurry
skilp—light, slender person
skimmer—shimmer, flicker
skinkle—sparkle
skirl—screech
skite—dart, shoot off, fly in a slanting direction
skouk—skulk
skug—shadow
skyte—excrement
slàinte mhòr—good health (lit. great health) (Gaelic)

slidder—slippery
sloke, slocken—slake (thirst)
sloom—doze, sleep lightly
slumtith—life in slums
sma-boukit—small, inadequate
smeddum—fortitude, strength of character, 'grit'
smeek, smeik—smoke
smert—pain, anguish (arch.)
smirr—light misty rain
smither—(n.) fragment; (adj.) in fragments
smochter, smouchter—smother
smool—move swiftly, directly; move furtively
smoor, smore—smother
smowt—small insignificant person or thing
snee—cut, emasculate
snell—sharp, piercing (of wind or weather)
snicher—snigger
snifter—sniffle (in contempt or tears)
snod—neat, spruce
snoovle—slink, sneak away
snowk—sniff, probe or detect by smell
so(u)ch—sigh
solan—gannet
soldanella—wild rose
sonsie—prosperous, comfortable
sorn—beg, sponge
spae—prophesy, predict
spase—open sea
spate—river in full flood
spavie—spavin, an arthritic condition
speer, speir—ask
spelder—spread out
speug—sparrow
spicket—tap
spiel—(n.) a tale; (vb.) tell, relate; climb
spindrift—blown spray
spinnan-Maggie—spider
spire—soar
spirl—twirl, gyrate
splairge—splash
spleutrie—weak, watery drink
splore—revel, noisy gathering; boast, swagger
sprent—exhausted, worn out
springheid—springtime
spunkie—spirited
spurtle—stirring-stick
staik—walk in a slow, stately manner
stang—stab, sting, pierce
stap—cram
starn, stern—star; stern of a ship
staucher, stecher—stagger
stech—stuff, cram, gorge oneself with food
steek, steik—(n.) stitch; (vb.) shut,
steer—bustle, activity
steir—(n.) trouble, confusion; (vb.) race, move vigorously
stell—brace (foot) against an immovable object
stend—stride, walk with firm steps
stent—stretch, extend
stieve—strong, sturdy
stigg—falter, stumble
stirlin—starling
stoater, stouter, styter—stagger
stot—1: bullock; 2: bounce, bustle; stagger
stoun(d)—a throb or stab of pain (n), to ache, suffer painful spasms (vb.)
stour—struggle, conflict, adversity
stour(ie)—dust(y)
stramash—uproar, carry-on
strath—river valley
strauchle—struggle
stravaig—wander
streakum-stroakum—of streaked and shifting colours
streel—spray
streek, streik—stretch
stunk—pant or groan with exertion
stushie—uproar, commotion
styfe—a close suffocating atmosphere; blackdamp in a mine

Soudron, Suddron—southern; (often) English
swack—agile, active
swail, sweel, sweil—swirl, rinse
swaiver—drift aimlessly
swats—freshly brewed weak ale
swaul—swell
swaw—wave (of the sea)
swee—(n.) swingle; (vb.) swing, sway
sweer, sweir—awkward, stubborn, reluctant; tricky
swippert—nimble, agile
swith—suddenly, in an instant
swither—hesitate, be undecided
swound—swoon, faint
synd, sine—rinse
syne—since, ago
syver—drainage channel, gutter
tacketty—hob-nailed
tammie—a flat round cap with a woollen ball or *toorie* in the middle
tammie-norie—puffin
tangle—seaweed
tapsiltoorie—upside-down, topsy-turvy, chaotic
tashed—tattered, worn
tattie-howk—dig potatoes
tawpie—foolish, worthless
tent—take care of
thirl—bind
thole—suffer, endure
thorter—confusion, going awry
thowless—listless, lethargic
thra(i)pple—throat
thrang—(vb.) crowd, jostle; (adj.) busy, crowded
thraw—twist
thrawn—stubborn, awkward, perverse
threep, threip—(n.) argument, dispute; (vb.) argue, assert
tine, tyne—lose (p.t. and p.pt. *tint*)
tink—tinker, gipsy (derog.)
tipper—walk on tip-toe
tirl—twirl
tittle—whisper
tod—fox
towmond—year
traik—wander, trudge
traipse—walk heavily or wearily
traitorie—treachery (arch.)
trams—shafts
trauchle—laborious and unproductive work
troke—(n.) rubbish, worthless stuff; (vb.) barter, exchange
trow—believe
trummle—tremble
tuim, toom—pour out, empty (vb. and adj.)
twyne—part, divide, separate (vb. tr. and intr.)
tyauve—(n.) steady and laborious work; (vb.) work steadily and laboriously
ugsome—ugly, repulsive
uisgebeatha—whisky (lit. 'water of life') (Gaelic)
unco—(n.) wonder, strange thing; (adj.) strange, uncanny
undeemous—immense, incalculable
unsiccar—uncertain
unskeely—unskilful
vaig—wander
vauntie—proud
velvous—velvet
vennel—lane, alley
virr—vigour, energy
virrless—lacking in virility
voar—spring
vodd—empty (of a house) (Shet.)
Voyach Vann—beautiful and fair (Gaelic *bhòidheach bhàn* deliberately mis-spelt)
waal, wal(l)—well
wabbit—exhausted
wae—(n.) woe, sorrow; (adj.) sorrowful
waement—lament
waerife—dismal, sorrowful
waft—breath of wind
wale—(n.) choice; (vb.) choose
wame—stomach, womb
wanchancy—unlucky, ill-omened
wap—lap (water); wind round
wardlin—worldly

warsh, wersh—dull, insipid, tasteless *or* bitter, sour
warsle—wrestle, struggle
wastlan—westerly
watergaw—faint rainbow
waucht—drink (n.)
waukrife—wakeful
wean, waen—child
weird, weerd—fate, destiny
weire—war
weisand—windpipe
whang—strip of leather for bootlace or the like
whaup—curlew
wheen—a few
wheep(-le)—whistle
wheesh(t)—hush
wheich—fly through the air, move at great speed, whizz
whill—until
whinner—whizz
whud—thunder, thump
whummle—toss about, overturn
whuram—musical grace-note
widden-dremer—one who sees visions in the firelight
widdie—gallows
wilyart—wayward, astray
win—arrive
windlestrae—stalk of withered grass
winnock, wunnock—window
winnockie—'windowy', i.e. full of holes
wrack—seaweed
wraith—snowdrift
wreist—twist (an ankle); stumble
wud(d)—mad
wudrife—mad, light-headed
wynd—lane
wyss—wise, sensible
wyte—blame
yammer—whine, grumble, complain
yark—wrench, tug
yatter—nag, carp, harp on
yaup—hungry
yearhunner, -hunder—century
yestreen—last night
yett—gate
yeukie—itchy, restless
yird—earth
yirdin—funeral
yowdendrift—snowstorm
yowe—ewe

Acknowledgements

For the poems that are still in copyright, every effort has been made to trace and contact the copyright holders. Apologies are offered to those copyright holders who could not be traced, and they are encouraged to get in touch with us. Grateful thanks are due to the following for permission to include the poems.

Donald Campbell, Ellie McDonald and Kenneth Fraser for their own poems.
Alison C. Webster for Sir Alexander Gray.
Flora Hunter for Helen Cruickshank.
Carcanet Press for Hugh MacDiarmid.
Erlend Clouston for Nan Shepherd.
David Kinloch for William Jeffrey.
John Mackie for Albert Mackie.
John McLellan for Robert McLellan.
Scottish Language Dictionaries for J. K. Annand.
Heidelinde Prüger for Alex Galloway.
Peter Burns for Robert Garioch.
Alisoun Gardner-Medwin for Olive Fraser.
Anna Law for T. S. Law.
Clara Young for Douglas Young.
The W. L. Lorimer Trust for George Campbell Hay.
Sydney Goodsir Smith: Calder Publications 1975. Reprinted with permission of the publisher.
Brian Tait for William Tait.
Joanna Blythman for Thurso Berwick.
Janet Henderson and the Estate of Hamish Henderson for Hamish Henderson.
Alisoun Neill for William Neill.
Jamie Purves for David Purves.
Kate Wood for Alasdair Mackie.
Alison Kelly for Duncan Glen.
Gordon Hardie for George Hardie.
Ellie McDonald's 'Itherness': Columbia University Press 2016. Reprinted with permission of the publisher.

Bibliography

Pittendrigh McGillivray: *Bog-Myrtle and Peat Reek: Verse mainly in the North and South Country Dialects of Scotland*. Edinburgh 1922 (privately printed for subscribers). 'Mercy o Gode' is in *Scottish Chapbook* vol.1, no.11, 1923.

Lewis Spence: *Collected Poems*. Edinburgh: Serif Books, 1953. 'Mistral' is in *Poetry Scotland* 4, ed. Maurice Lindsay, Edinburgh: Serif 1949, p. 3.

Sir Alexander Gray: *Selected Poems*. Glasgow: McLellan, 1948.

Helen Cruickshank: *Collected Poems*. Edinburgh: Reprographia, 1972.

Bessie McArthur: the poems included here are in *From Daer Water*, Dunfermline: H. T. Macpherson, 1962.

Hugh MacDiarmid: *Complete Poems*, eds. Michael Grieve and W. R. Aitken. Manchester: Carcanet, 1993.

Nan Shepherd: *In the Cairngorms*. Edinburgh: Moray, 1934.

William Jeffrey: *Sea Glimmer: Poems in Scots and English*. Glasgow: McLellan, 1947.

William Soutar: *Collected Poems*. London, 1948.

Albert Mackie: *Poems in Two Tongues*. Edinburgh: Darien, 1948

Robert McLellan: 'Winter' and 'Nicht Watch' in *Poetry Scotland* 2, ed. Maurice Lindsay, Glasgow: Maclellan, 1945, p. 11, 'The Lanely Fisher' in *Scottish Art and Letters* 3, Glasgow: Maclellan, 1947, p. 51.

J. K. Annand: *Selected Poems 1925–1990*. Edinburgh: Mercat, 1992.

Alex Galloway: *At the Year's Fa': Selected Poems in Scots and English*, ed. Heidelinde Prüger. Perth and Kinross Libraries 2001.

Robert Garioch: *Complete Poetical Works*, ed. Robin Fulton. Edinburgh: Macdonald, 1983.

John Kincaid: poems included here from *Fowrsom Reel: a Collection of New Poetry by John Kincaid, George Todd, F. J. Anderson, Thurso Berwick*. Glasgow: Caledonian Press, 1949.

Olive Fraser: *The Wrong Music: The Poems of Olive Fraser*, ed. Helena Mennie Shire. Edinburgh: Canongate, 1989.

T. S. Law: *At the Pynt o the Pick and Other Poems*. Blackford: Fingerpost Publicatiouns Ltd, 2008.

Douglas Young: *Naething Dauntit: the Collected Poems of Douglas Young*. Glasgow: Humming Earth, 2016

George Campbell Hay: *Collected Poems and Songs of George Campbell Hay (Deorsa Mac Iain Deorsa)*, ed. Michel Byrne. 2 vols. Edinburgh: published for the Lorimer Trust by Edinburgh University Press, 2000.

Sydney Goodsir Smith: *Collected Poems 1941–1975*. London: John Calder, 1975.

Edward Boyd: 'The Niddity-Noddin Chesbow' is in *Voice of Scotland* III. 4, June 1947, p. 11.

Maurice Lindsay: *Collected Poems 1940–1990*. Aberdeen: Aberdeen University Press, 1990.

Tom Scott: *The Collected Shorter Poems of Tom Scott*. Edinburgh: Chapman and London: Agenda, 1993. 'La Condition Humaine' is printed here in the original (Scots) version which appeared in *Scotia Review* 5, December 1973, pp. 17–19, not the English version in *Collected Poems*.

William Tait: *A Day Between Weathers: Collected Poems 1948–1978*. Edinburgh: Harris, 1980.

Thurso Berwick: 'Whit Wey's the Road?' is in *Voice of Scotland* III. 3, March 1947, p. 20; the others in *Fowrsom Reel*, op. cit.

Hamish Henderson: 'Billet Doux' in *Voice of Scotland* V. 3, June 1949, p. 2; other poems in *Collected Poems and Songs*, ed. Raymond Ross. Edinburgh: Curly Snake Publishing, 2000.

Alexander Scott: *The Collected Poems of Alexander Scott*, ed. David Robb. Edinburgh: Mercat Press, 1994.

William Neill: 'A Lament for Alba Moroon' and 'The Flyting of Jamie and Seumas' in *Four Points of a Saltire: the Poetry of Sorley MacLean, George Campbell Hay, William Neill, Stuart MacGregor*. Edinburgh: Reprographia, 1972. 'Kailyard and After' and 'Drumbarchan Mains' in *Selected Poems 1969–1992*. Edinburgh: Canongate Press, 1994.

David Purves: *Hert's Bluid*. Edinburgh: Chapman Publications, 1995.

Alastair Mackie: *Collected Poems 1954–1994*, ed. Christopher Rush. Uig, Isle of Lewis: Two Ravens Press, 2012.

Eric Gold: *Poems*. Parklands Poets Series no. 1. Preston: Akros Publications, 1969.

George Todd: in *Fowrsom Reel*, op. cit.

Duncan Glen: *Collected Poems 1965–2005*. Kirkcaldy: Akros Publications, 2006.

George Hardie: *Poems*. Parklands Poets Series no. 2. Preston: Akros Publications, 1969.

Ellie McDonald: *The Gangan Fuit*. Edinburgh: Chapman, 1991. *Pathfinder*. Kingskettle: Kettillonia, 2000.

Donald Campbell: *Selected Poems 1970–1990*. Edinburgh: Galliard, 1990.

Kenneth Fraser: 'The Things frae Inner Space' in *Scotia Review* 3, April 1973, p. 13.

Kate Armstrong: 'Pantoum fer Winter' in *Scots Glasnost* 4, 1991, 'Mary' in *Lallans* 28, Whitsuntid 1987, 'This is the Laun' in *The New Makars: the Mercat Anthology of Contemporary Poetry in Scots*, ed. Tom Hubbard. Edinburgh: Mercat Press, 1991.

Daibhidh Mitchell: *Luvesangs and Ithers*. Edinburgh: Macdonald, 1956.
John Samuel: 'Herschip' in *Voice of Scotland* IV. 4, June 1948, p. 37–38.